LES PUBS

QUE VOUS NE VERREZ PLUS JAMAIS

Traductions : Arthur Desinge et Alexis Doualle
Conception graphique : Jef Cortes

ISBN : 9782755610536
Imprimé en France

Annie Pastor

LES PUBS
QUE VOUS NE VERREZ PLUS JAMAIS

100 ans de publicités sexistes, racistes, ou tout simplement stupides...

Hugo Desinge

« Dieu lui-même croit à la publicité :
il a mis des cloches dans les églises. »

Aurélien Scholl

« N'importe quelle publicité
est une bonne publicité. »

Andy Warhol

« La publicité est comme le poison :
elle n'est dangereuse qu'avalée. »

Joe Paterno

Un jour, la réclame devint la pub. Fini le hard selling frontal avec son style brutal « achetez-moi, je suis meilleur et moins cher », la publicité a mis en scène la classe moyenne au cœur de son époque, avec comme principale idée forte l'accession au bonheur grâce à la consommation, devenant ainsi, sans le vouloir, le reflet d'une société faussement idéale et franchement caricaturale. Mais les temps changent, et les vieilles pubs restent. À les voir aujourd'hui, imprégnées de naïveté puérile, de machisme primaire, de racisme révoltant, on peut se poser la question : dans quelle drôle de siècle vivait-on avant ? Encore plus fort que les fausses pubs d'Hara Kiri ! Sauf que celles qu'on vous présente ici sont authentiques et, pour la plupart, n'ont pas plus de 70 ans. Comme on dit, la réalité dépasse souvent la fiction...

Découvrez

LA FAMILLE IDÉALE,

le papa qui rentre du travail
en embrassant sa femme tout
en lui disant "chérie qu'est-ce
qu'on mange ce soir", la maman
qui hante sa cuisine toute la
journée et chantonne en passant
l'aspirateur, le garçon qui attend
lui aussi qu'on lui apporte à
manger et la fille qui apprend,
comme sa maman, à être au
service de l'Homme...

MR:
You certainly clean up fast these days!
MRS:
These days I'm using a fast cleanser—one that doesn't leave dirt-catching scratches!
If you think a cleanser has to be coarse and gritty to be fast—you haven't tried Bon Ami.
This fine, white cleanser simply slides grease away—leaves no ugly scratches to hold dirt and make you scrub. Contains no messy, hand-roughening grit. What's more, Bon Ami polishes as it cleans, leaves sinks and bathtubs satin-smooth. Make finer, fast Bon Ami a "must" on your grocery list tomorrow!
Bon Ami
THE SPEEDY CLEANSER that "hasn't scratched yet!"
Bon Ami
Bon Ami

« Qu'est-ce que tu laves rapidement, ces jours-ci ! »
« En ce moment j'utilise un nettoyant rapide qui ne laisse pas de traces ! »

Le royaume de la femme, c'est sa maison, et plus précisément sa cuisine...

Plus une femme travaille dur, plus elle semble mignonne ! ▶

« Mon Dieu chérie, tu t'en sors tellement bien entre la cuisine, le ménage et la poussière alors que moi je suis exténué en rentrant du travail. Quel est ton secret ? »
« Les vitamines, chéri ! Je prends toujours mes vitamines ! »

SO THE HARDER A WIFE WORKS, THE CUTER SHE LOOKS!
1.
GOSH, HONEY, YOU SEEM TO THRIVE ON COOKING, CLEANING AND DUSTING– AND I'M ALL TUCKERED OUT BY CLOSING TIME. WHAT'S THE ANSWER?
VITAMINS, DARLING! I ALWAYS GET MY VITAMINS
Kellogg's
PEP
Vitamins for pep! PEP for vitamins!*

MEAT for
natural vitamins
complete protein
essential minerals
Every Day

La femme n'est heureuse et accomplie qu'à travers le plaisir de « ses hommes », en leur apportant les repas ou en les regardant jouer.

EAT
e meal
th Defense
mpliments of
IFORNIA MARKET
eat for Your Good Health
Redwood City, Calif.

SUNLIGHT GIVES ZEST TO EVERYTHING... from cook-outs to cottons!
And Dan River Sunshades seem to have sunlight woven right in!
Colors and patterns radiate a special glow you've never
seen in cottons. Plaids, checks, stripes and embroideries
have fresh new fashion appeal. And these rare cottons
are Wrinkl-Shed! Wrinkles hang out overnight;
colors stay in for life. Designs are woven in! Ask
for Dan River Sunshade cottons in fashions for the
whole family, and by the yard. At all fine stores.
DAN RIVER
cottons in radiant ne
SUNSHADES
they're Wrinkl-SHED

ITT SCHAUB-LORENZ JEUX ELECTRONIQUES
TENNIS
FOOTBALL
PALME
PELOTE

...this label means the steel is good
MANUFACTURED FROM
USS
STEEL
UNITED STATES STEEL
UNITED STATES STEEL

RIN-SO WHITE
RIN-SO BRIGHT
"WORK GOES TWICE AS FAST WITH RINSO'S TWIN ADVANTAGES"
GETS WHITES GLEAMING WHITE
KEEPS WASHABLE COLORS SPARKLING BRIGHT
Rinso
RINSO IS ANTI-SNEEZE

RIN-SO WHITE
RIN-SO BRIGHT
THE O'ROURKE TWINS, Mary Ellen and Joan, are lively thirteen-year-olds. They live in Bayside, N.Y. They're Girl Scouts and both are good swimmers. They love animals.
Mrs. Mary O'Rourke
Rinso
MY TWINS WHISTLE AND SING ABOUT RINSO'S TWIN ADVANTAGES THAT MAKE WASHDAY A JOY!
LOOK, CHILDREN! EVEN DADDY'S WORK CLOTHES COME SPOTLESS. RINSO GETS OUT STUBBORN DIRT—FAST!
OH—AREN'T OUR DRESSES BRIGHT!
YES, RINSO'S SAFE FOR WASHABLE COLORS!
RINSO IS ANTI-SNEEZE
*The only granulated soap 98% free of irritating sneezy soap-dust
*(PATENTED PROCESS)
AVOID SOAP WASTE! Measure Rinso carefully. Don't Waste it!

« Regardez, les enfants, même le bleu de travail de papa sort sans taches ! La lessive Rinso se débarrasse des taches insistantes rapidement ! »

Your New Hoover
WARTIME LESSON
An appliance without honest service behind it is like a cup without a saucer. Hoover peacetime service was continued on a 48-hour basis throughout the war. That's why you now hear oftener than ever this famous American Housewife's lament, "I wish I had bought the Hoover."
"Easy Cleaning" is its middle name!
Rolls like a doll buggy.
Keeps rug colors fresh.
Picks up dog hairs and lint in a jiffy.
No stooping or straining because the Hoover "stands up to you."
Easy to get out—easy to put away.
Never before so much Hoover at so low a price.
Converts instantly, with a simple push of the hand, from rug cleaner to easy-to-use cleaner for draperies, upholstery, lamp shades, bare floors and linoleum.
THE HOOVER
It beats . . . as it sweeps . . . as it cleans
THE HOOVER COMPANY, NORTH CANTON, OHIO
HAMILTON, ONTARIO, CANADA
ARMY E NAVY
The Army-Navy "E" award received four times for high achievement in the production of essential war equipment.

Ton nouvel aspirateur.
« Nettoie facilement » est son surnom. Il roule comme une poussette.

La vraie femme au foyer éduque sa fille en future domestique.

R. L. Dupuy
Plus tard,
elle veut
avoir
beaucoup
d'enfants.
En attendant... :
OVOMALTINE

Donnez
le meilleur
aux **ENFANTS**, pour
qu'ils deviennent
très tôt
de parfaits
et heureux
consommateurs...

"Say, Mama,
I want another glass of
Hires' Root Beer

« Dis, maman, je veux un autre verre de Root Beer. »
(2,5 % d'alcool par volume.)

On pense que le nom du 7 Up vient du poids atomique du lithium. Le 7 Up contenait à l'origine du citrate de lithium et était commercialisé comme remède contre la gueule de bois.

Why we have the youngest customers in the business
Nothing does it like Seven-Up!

C'est pourquoi nous avons les plus jeunes consommateurs du marché.

Un verre de Coca-Cola contenait près de 9 milligrammes de cocaïne en 1886, un ingrédient abandonné en 1903. ▸

Pour un meilleur départ dans la vie,
buvez du Cola plus jeune !

Peut-on être trop jeune pour boire du Cola ? Jamais assez. Des études menées ces dernières années ont montré que les bébés qui commencent à boire du soda avant leurs premiers pas ont une probabilité beaucoup plus élevée d'être accepté en société durant les années d'adolescence et de pré-adolescence. Faites une faveur à vos enfants et à vous-même. Mettez-les maintenant sur un régime strict de sodas et d'autres boissons sucrées pétillantes pour leur garantir une vie pleine de bonheur.

For a better start in life
start COLA earlier!
- Promotes Active Lifestyle!
- Boosts Personality!
- Gives body essential sugars!
How soon is too soon?
Not soon enough. Laboratory tests over the last few years have proven that babies who start drinking soda during that early formative period have a much higher chance of gaining acceptance and "fitting in" during those awkward pre-teen and teen years. So, do yourself a favor. Do your child a favor. Start them on a strict regimen of sodas and other sugary carbonated beverages right now, for a lifetime of guaranteed happiness.
The Soda Pop Board of America
1515 W. Hart Ave. - Chicago, ILL.

BREAD
Cellophane
Lets you see exactly
the loaf you want

Stokely's Finest
TOMATO CATSUP
the joy of
Good Eating

Van Camp's
TENDERONI
EGG WHITE
the joy of Good Eating

joy of Good Eatin
Van Camp's
PORK AND BEANS
Stokely's Finest
HONEY POD SUGAR PEAS
njoy
uck of the day is yours with Van Camp's. Delicious . . . just as they come . . .
you heat—eat—enjoy them for quick meals, picnics, parties.

the joy of good eating
Highlight of every picnic . . . all quick meals—delicious
Van Camp's Pork and Beans . . . ready to heat . . . eat . . . enjoy.
Van Camp's
IMPROVED PORK AND BEANS
PREPARED WITH TOMATO SAUCE
Five favorite fruits . . . in happy combination . . .
ready to chill . . . serve . . . satisfy.
Stokely's Finest
FRUIT COCKTAIL
Stokely's Finest
SPINACH
FROZEN FOODS
Enjoy the Garry Moore Show CBS-TV
Network, every Thursday afternoon
Stokely— FRUITS and VEGETABLES
Van Camp— BEANS and MEAT PRODUCTS

Qui oserait aujourd'hui promouvoir le moindre produit avec ces images d'enfants aux airs méchants, voire diaboliques, ou simplement moches, ou encore mieux, vaguement idiots ?

CHICKEN PIE
Quick Frozen
POTATO PA
Quick Frozen
POTATO PA

NABISCO
BAKES BETTER COOKIES!
"Wish I had a million OREOS!"
Who can blame him? Creamier fondant filling... richer chocolate wafers—make OREO CREME SANDWICH sheer eating joy! For NABISCO has been putting extra goodness in cookies for generations. So when you buy cookies—any kind—in regular or cellophane packs—always look for the red NABISCO seal.
OREO
this seal on the outside means better flavor on the inside

At breakfast... between meals... or night!
Drink this much Florida Orange Juice every day!
A FULL BIG GLASS
FLORIDA ORANGES

Pour un simple verre de jus d'oranges ou un biscuit, la manifestation de leur joie est si intense que ces enfants finissent par faire peur.

Son père a-t-il encore trop tapé dans la cafetière ? ▶
Un père énervé et colérique... Des gamineries, et patatras ! C'est une chose qui arrive trop souvent quand un des parents est tendu. Instant Sanka est le seul café lyophilisé sans caféine.

Has his old man been hitting the coffee again?

1. Nervous father . . . boyish prank . . . flaring temper—and BANG! That's a sequence that happens too often—when a parent is tense, on edge . . .

2. Frequently—back of that edginess is the caffein in coffee. For many men and women, caffein results in sleepless nights and high-strung days!

3. What's to be done? Should you cut down on coffee—swear off entirely? Or is it true what people who have switched to Sanka Coffee say?

4. Every word's true! Sanka is real coffee—all coffee. Yet, it's 97% caffein-free. It can't get on your nerves or keep you awake. Try delicious Sanka Coffee today!

INSTANT
SANKA
NEW
IMPROVED
FLAVOR
COFFEE

Product of General Foods

Sanka Coffee

Real coffee with the worry taken out. Drink it and sleep!

Get delicious, caffein-free Sanka Coffee in drip or regular grind—or in the convenient, economical instant form. A jar of instant Sanka gives you almost as many cups as a pound of regular—at about one-third less in cost. And remember—

Instant Sanka is the only instant coffee that's caffein-free!

Les publicités utilisant les enfants pouvaient être dérangeantes, sordides et même dangereuses.

DuPont Polyester Film
Health Tan
SUN LAMP
CAN'T BURN! SLEEP UNDER IT
PATENTED

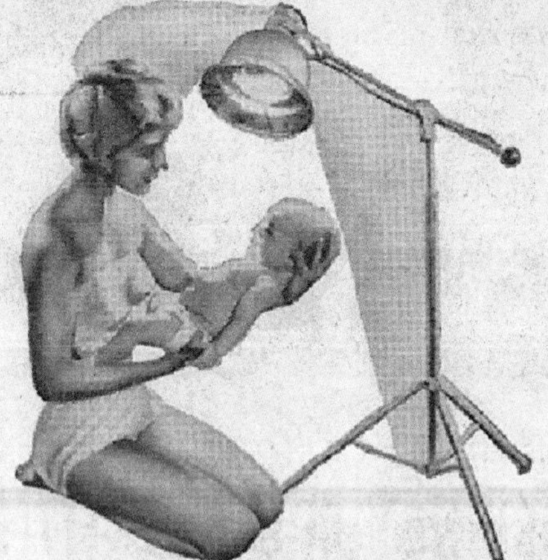
Amazing new sun lamp is absolutely safe—yet gives you a Luxurious Golden Health Tan. DuPont Polyester Film blocks out harmful burning rays—passes only long tanning rays no matter how long you choose to stay under it. Adjust from 7" to 61" in height, 25" arm extends over bed, chair or desk, folds for storage, wonderful for travel. Be Healthy—Stay Brown Th' Year Round. DeLuxe Model $29.95—Clamp on Model $19.95. Postage Chgs. Coll. Send check or money order to:
AMERICAN ATLAS CORP.
Dept. 1-O, 312 Tarrytown, Richmond 29, Virginia

Sun Lamp ne brûle pas.
Dormez en dessous.
L'incroyable Sun Lamp est totalement sans danger et vous donne un bronzage sain et brillant. Le film en polyester DuPont bloque les rayons dangereux et ne laisse passer que les rayons bronzants quelle que soit la durée de l'exposition.

Est-ce que ça vous choque ?
NATURELLEMENT, et l'on est prêt à crier au scandale ! Pourtant, si votre enfant porte des semelles rigides, le choc du pied qui frappe le sol se transmet au cerveau, exactement comme si vous lui frappiez sur la tête. Pour vos enfants, dont l'organisme est encore si fragile, adoptez les semelles Wood Milne... vous y avez tout avantage !
● Elles sont d'une résistance à toute épreuve (quelle économie !).
● Elles absorbent les chocs et les vibrations si nuisibles à son petit cerveau.
● Elles sont imperméables (très important pour la santé !) et antidérapantes.
● Il en existe de nombreux modèles et tous se font en différentes couleurs.

La pub met souvent en scène les enfants, sans retenue ni limites.

NOW YOUR CHILD CAN "DRINK
SUNSHINE" 3 times a day

ONE OF SUNSHINE'S GREAT BENEFITS
in this VITAMIN D *food*

WE HAVE been called "a nation of sun-worshippers." By sun-lamps, by exposure, by every means possible we try to obtain as much sunshine as possible.

Here is one of the important reasons why: In the rays of the sun there exists a force which, acting upon the body, produces that precious element—Vitamin D. This Vitamin D enables the body to utilize efficiently the food-calcium and food-phosphorus in the development of sound, even teeth—straight, strong bones—well-formed, husky bodies. Of all the many great benefits of sunshine, this is perhaps one of the most significant.

But not every child can bask in the hot sun every day of the year. Dark days keep him a little prisoner ... *indoors*. Fortunately, Cocomalt is rich in Sunshine Vitamin D; so that now every mother can be sure her child is getting this precious vital element—even in dull, wintry weather. Instead of absorbing it through the skin, the child "drinks" it—in this delicious chocolate flavor food-drink. The rich Sunshine Vitamin D content of Cocomalt *has been added by special process*—under license by the Wisconsin University Alumni Research Foundation. Cocomalt also provides your child with *extra* carbohydrates, *extra* proteins, *extra* minerals (calcium and food-phosphorus). It comes in powder form only, easy to mix with milk. Delicious HOT or COLD. At grocery and good drug stores in ½-lb., 1-lb., and 5-lb. air-tight cans.

Special trial offer: For a trial-size can of Cocomalt, send your name and address, with 10c to cover the cost of packing and mailing, to R. B. Davis Co., Dept. 8-M Hoboken, N. J.

Cocomalt is accepted by the Committee on Foods of the American Medical Association. It is composed of sucrose, skim milk, selected cocoa, barley malt extract, flavoring and added Sunshine Vitamin D

Cocomalt
Prepared as directed, adds 70% more food-energy to milk

Cocomalt

Les enfants ne peuvent pas rester sous le soleil chaque jour de l'année. Les jours sans soleil les rendent prisonniers... de l'intérieur. Heureusement, Coco malt est riche en vitamine D ensoleillée ; et chaque mère peut être rassurée que son enfant reçoive cet élément vital, même par temps maussade. Au lieu de l'absorber par la peau, l'enfant la boit dans cette délicieuse boisson au chocolat.

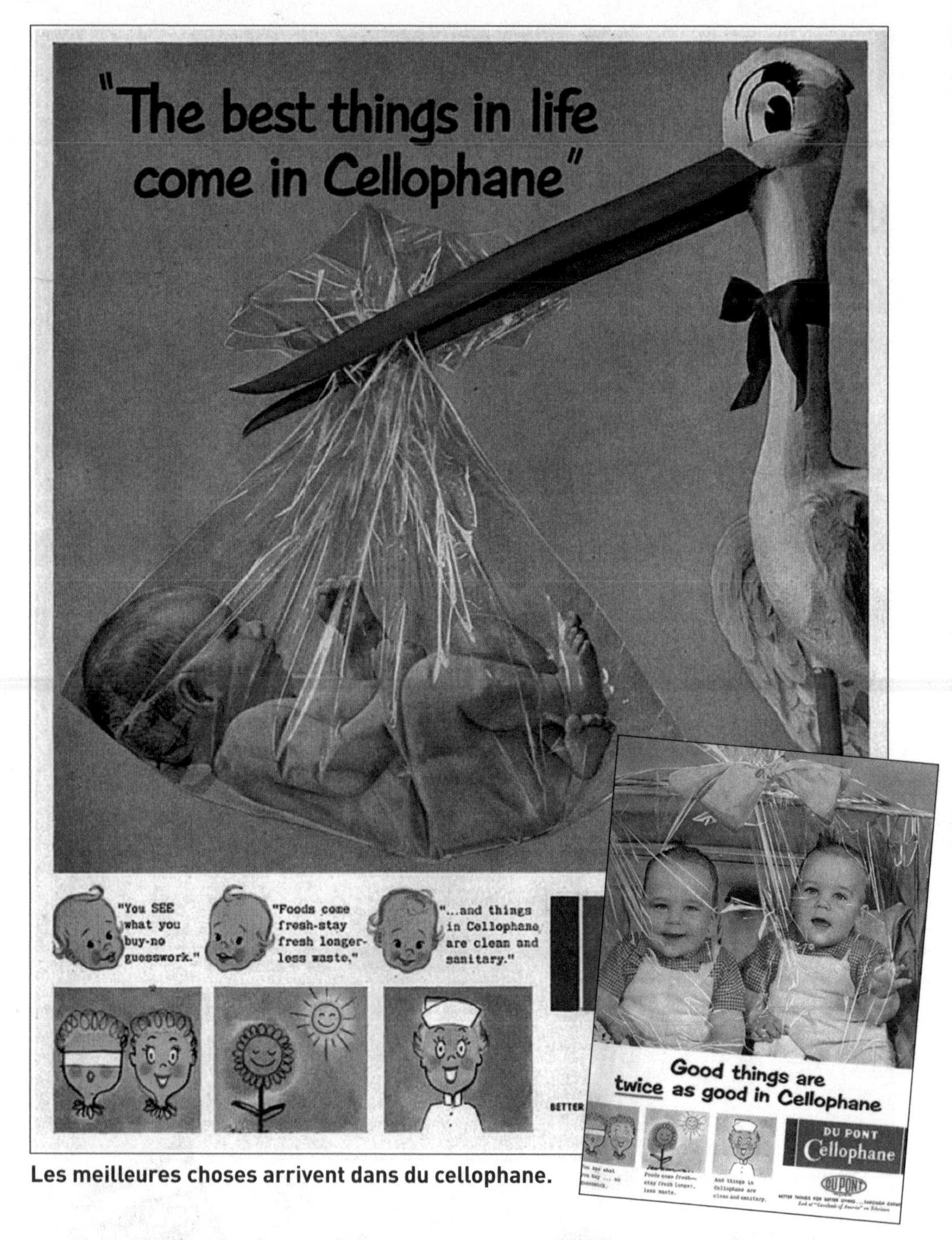
"The best things in life come in Cellophane"
"You SEE what you buy-no guesswork."
"Foods come fresh-stay fresh longer-less waste."
"...and things in Cellophane are clean and sanitary."
Good things are twice as good in Cellophane
Foods come fresh—stay fresh longer, less waste.
And things in Cellophane are clean and sanitary.
DU PONT Cellophane
DUPONT

Les meilleures choses arrivent dans du cellophane.

La pub qui ne manque pas d'air : visiblement, rien de choquant, à l'époque, de montrer des bébés enfermés dans des sacs de cellophane.

You see so many good things
in Du Pont Cellophane
u see the good things you buy... no guesswork.
y come fresh stay fresh longer—less waste.
d Cellophane keeps them extra-clean and sanitary.
DU PONT
Cellophane
DUPONT

Il y a tellement de bonnes choses dans le cellophane Du Pont.
Vous voyez ce que vous achetez, sans mauvaises surprises.
La nourriture reste fraîche, et son goût dure plus longtemps.
Le cellophane protégera vos aliments des bactéries.

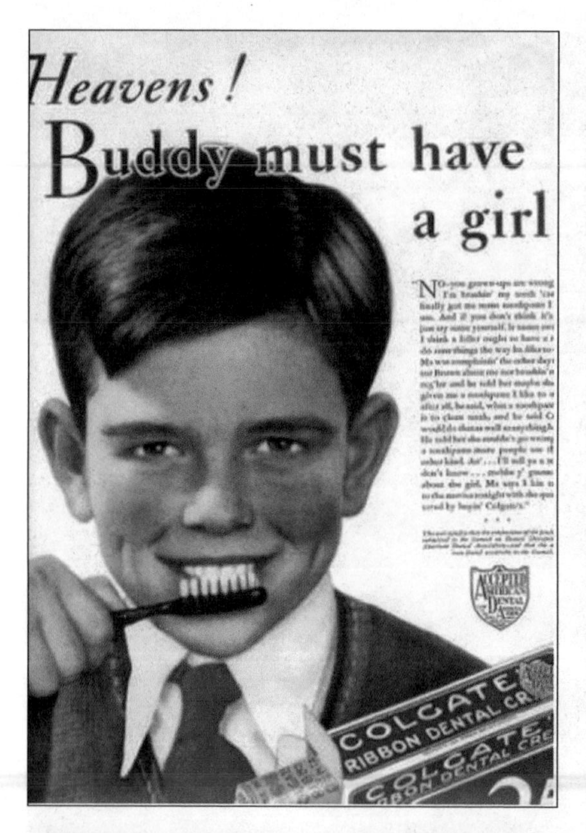
Heavens!
Buddy must have a girl
COLGATE RIBBON DENTAL CREAM

Ciel ! Buddy doit avoir une nana pour se brosser les dents comme ça !

How can mills produce fabric that is sure to come clean?
Hercules has the answer.

It's the happiest flying...from the ground up!
DOUGLAS DC-8

Une piste prudemment abandonnée par les publicitaires aujourd'hui : la sexualisation des enfants.

Quoi de mieux, pour vendre un modèle d'avion, qu'une bonne vue en contre-plongée sous les jupes de deux petites filles...

Love's Baby Soft.
Because innocence is sexier than you think.
Love Cosmetics

Love's Baby Soft.
Parce que l'innocence est plus sexy que l'on pourrait croire.

BEGIN EARLY
SHAVE YOURSELF
Gillette Safety Razor
NO STROPPING NO HONING
COPYRIGHT OWNED BY GILLETTE SAFETY RAZOR CO.
THE WM. R. BURKHARD CO.
SPORTING GOODS
ST. PAUL, MINN.

Commencez tôt. Rasez-vous.

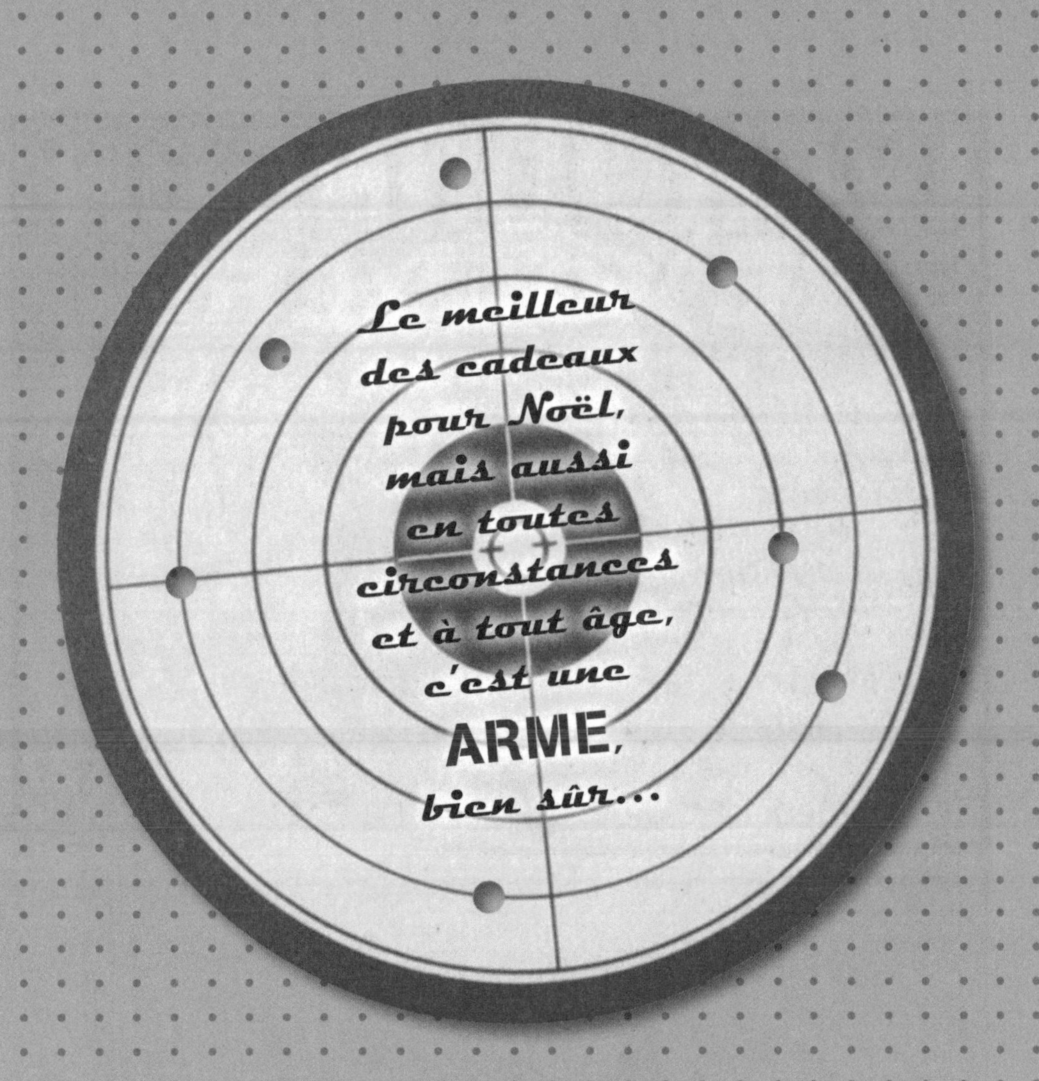
Le meilleur
des cadeaux
pour Noël,
mais aussi
en toutes
circonstances
et à tout âge,
c'est une
ARME,
bien sûr...

IVER JOHNSON
REVOLVERS
are always ready.
SAFETY
HAMMER
AUTOMATIC
$5.
Absolutely Safe
Accidental Discharge Impossible
Send for our fire-arms encyclopædia
Iver Johnson's
Arms & Cycle Works
Fitchburg, Mass., U.S.A.

Les revolvers Iver Johnson.
Toujours prêts à tirer.
Sans danger.

Quelques images américaines qui montrent que les armes, là-bas, sont des produits comme les autres.

Iver Johnson
Revolvers
are not toys: they shoot straight and kill. You may need one only once in your lifetime: buy now, so you will have it at that time.
SAFETY HAMMERLESS AUTOMATIC $6.
"Papa says it won't hurt us"
Absolutely Safe
ACCIDENTAL DISCHARGE IMPOSSIBLE
Send for Our fire-arms encyclopædia
IVER JOHNSON'S ARMS & CYCLE WORKS. FITCHBURG, MASS. U.S.A.

Les revolvers Iver Johnson ne sont pas des jouets : ils tirent tout droit et tuent. Vous n'en aurez peut-être besoin qu'une seule fois dans votre vie : achetez-le maintenant pour l'avoir au moment opportun. « Papa dit que ça peut pas nous blesser. »

Iver Johnson
SAFETY HAMMER AUTOMATIC
Revolvers
Gentlemen: An Iver Johnson revolver can lie around the house: the Iver Johnson safety device makes it safe even for children.
$4.50
ACCIDENTAL DISCHARGE IMPOSSIBLE
"Papa says it won't hurt me"
ABSOLUTELY SAFE
SEND FOR FREE CATALOGUE
IVER JOHNSON-FITCHBURG, MASS. U.S.A.

Sans danger pour les enfants grâce à son cran de sécurité.

Gee Dad...
a WINCHESTER!

Waouw papa... une winchester !

Même pour des winchesters ou des colts, on joue sur les registres habituels : cadeaux de Noël de rêve, enfants heureux, famille comblée.

Aidez votre garçon à grandir. Quand votre garçon vous demande un fusil à air comprimé, sachez que c'est l'Américain fort et droit qui sommeille en lui qui ne demande qu'à se réveiller.

Help Your Boy Grow
When your boy asks for an air rifle remember that it is the strong, upstanding American man in him asking for a chance to grow.
Millions of clean-cut, alert American boys, now grown, had their first training in manly sport with a Daisy Air Rifle. Mothers, as well as fathers, now generally recognize that this training makes for character and manliness. Give your boy a chance to develop character while he's having the time of his life in harmless fun.
DAISY MANUFACTURING COMPANY
Plymouth, Michigan, U. S. A.
Different Daisy models range in price from $1.20 to $5.00, and in size to suit the younger as well as the older boys. Ask any hardware or sporting goods dealer.
"The Happy Daisy Boy"
DAISY
AIR RIFLES

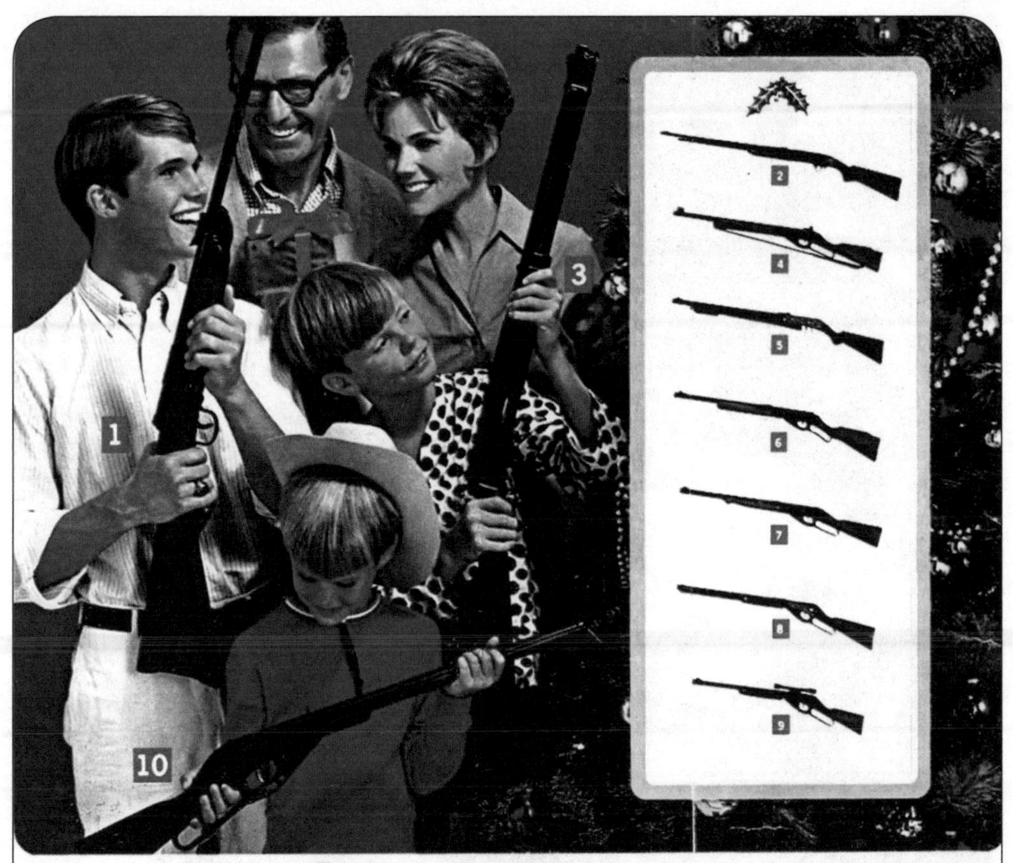

1
3
10
2
4
5
6
7
8
9

Seven to seventeen...
DAISY will make it a Christmas to remember

Whether you're just starting out . . . or graduating to a high-power pellet plinker . . . DAISY's got the right gun for you. You'll have years of fun shooting outdoors—or in your own basement or rec room with Mom and Dad. (In fact, we bet Dad can still remember the fun he had with *his* DAISY.) Show them these beauties and see if they don't agree—the DAISYS are better than ever!

1 DAISY Pellet Rifles. Long 'n lean, with genuine beechwood stocks and precision steel barrels:

Model 250 (shown) shoots .22 cal. pellets accurately up to 150 feet. About $29.95.

Model 230 shoots .22 cal. pellets accurately up to 90 feet. About $25.95

Model 220, top target accuracy up to 90 feet with .177 cal. pellets. About $19.95

Model 160 shoots .177 pellets, B•Bs, darts up to 450 fps. About $14.95

2 Model 26 Masterpiece, "Spittin' Image" of the famous Remington* slide-action .22 repeater. 45-shot. About $17.95

3 Model 1894, 40-shot lever action "Spittin' Image" of the rifle that won the West. About $15.95

4 Model 99 Target Special, approved National Rifle Association trainer. Wood stock and forearm. 50-shot. About $16.95

5 Model 25 Pump Gun, a favorite for more than 50 years. 50-shot. About $13.95

6 Model 96 Monte Carlo-styled real wood stock. 700-shot repeater. About $13.95

7 Model 95 Woodstock, handsome sporter styling, 700-shot. About $10,95

8 Model 111 Western Carbine has simulated engraving. 700-shot. About $9.95

9 Model 104 Scope Gun has steel peep scope. 500-shot. About $7.95

10 Model 102 wood stock, short length. 500-shot. About $6.95

See 'em all at your DAISY Dealer—or write for free 36-page catalog to: DAISY Manufacturing Company, Box126D, Rogers, Arkansas 72756.

Daisy
MANUFACTURING COMPANY

*Used with permission of Remington Arms Company, Inc.

De 7 à 17 ans, les fusils Daisy feront de vos noëls des moments inoubliables.

Que vous soyez un débutant... ou un tireur confirmé, Daisy a toujours le bon fusil pour vous. Des années durant vous vous amuserez aussi bien à tirer au grand air, dans la cave, ou dans la salle de jeu en compagnie de Papa et Maman. (Je suis sûr que Papa se souvient encore à quel point lui aussi s'était amusé à ton âge, avec un fusil Daisy.) Montre-leur ces beautés, et ils ne pourront qu'être d'accord : les fusils Daisy sont mieux que jamais !

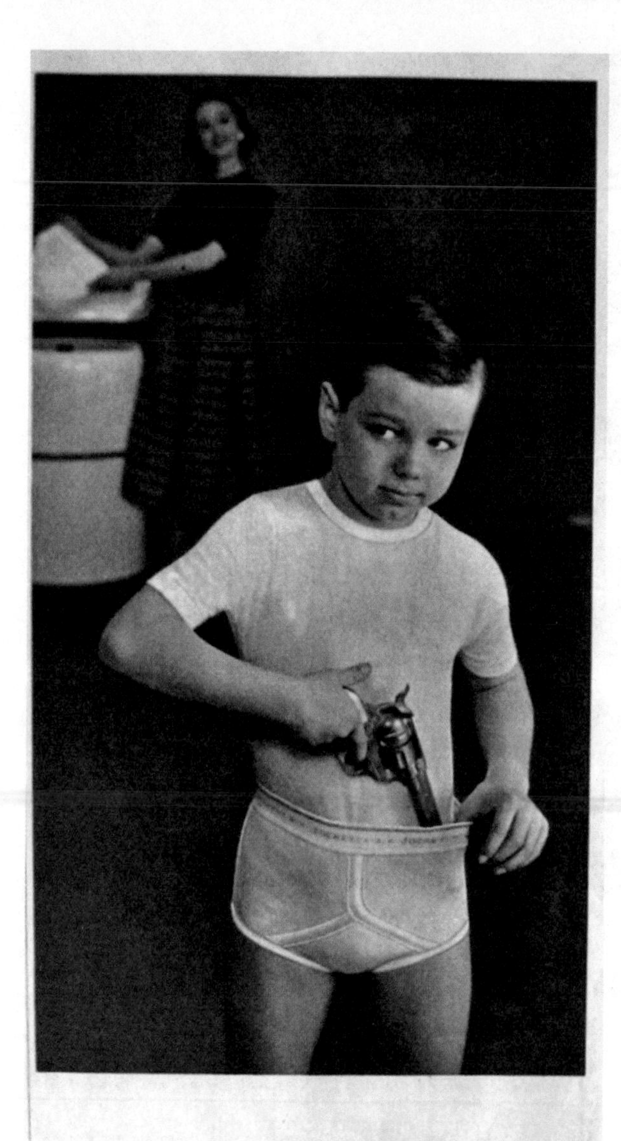
They keep their fit!
Jockey junior briefs keep their fit—wash after wash! Special elastic waistband never droops, never sags, for it's guaranteed for the life of the garment! Nobelt strip rubber (around outer thighs only) means no-gap leg openings that never bind. Shaped seat and double thick seamless crotch help give the comfort that comes only with Jockey—first underwear tailored to fit the male figure! Matching Jockey T-shirt has nylon-content neck—holds its shape!

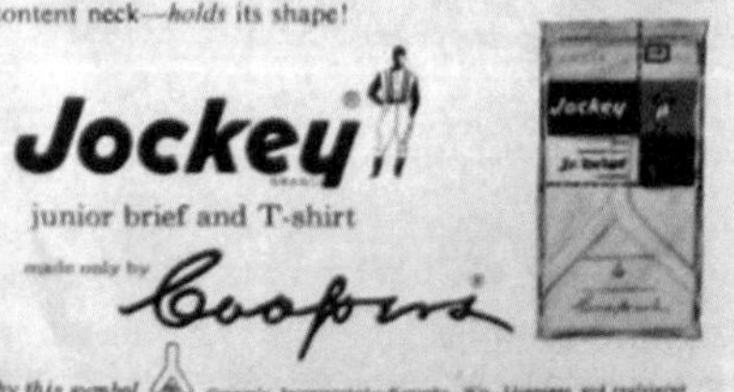
Jockey
junior brief and T-shirt
Coopers
known the world over by this symbol

Les caleçons Jockey
gardent leur forme.

YOU
TOO WILL ADMIRE
This Remark
WINCHEST
Model 68 Ri
DAISY
SAFER SPRING-TYPE TRAININ
AIR RIFLES

Toi aussi tu pourras admirer
cette remarquable winchester.
Fusils à air comprimé Daisy
idéals pour l'entraînement.

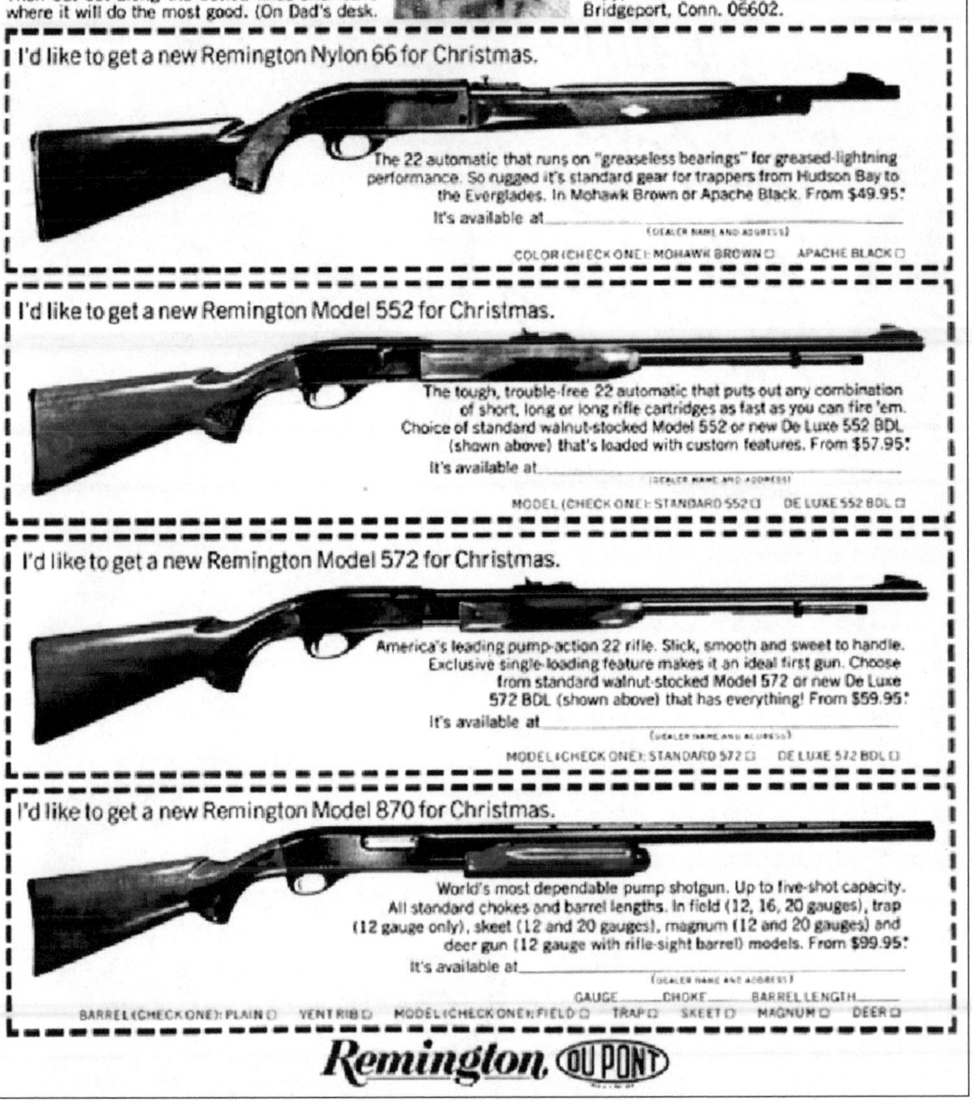
Sneaky way to get
the Remington you want this Christmas.
You're hoping to get a certain Remington gun this Christmas. But how do you let your family know the exact model you want?
Solution: Use the handy hinting form below. Fill in the section on the gun that interests you. Then cut out along the dotted lines and leave where it will do the most good. (On Dad's desk. On Mom's vanity table. On the kitchen table.)
P. S. Remington ammunition makes a dandy Christmas present, too.
More on Remington guns and ammunition in the free 1966 Remington catalog. For your copy, write: Remington Arms Company, Inc., Bridgeport, Conn. 06602.
I'd like to get a new Remington Nylon 66 for Christmas.
The 22 automatic that runs on "greaseless bearings" for greased-lightning performance. So rugged it's standard gear for trappers from Hudson Bay to the Everglades. In Mohawk Brown or Apache Black. From $49.95.*
It's available at
(DEALER NAME AND ADDRESS)
COLOR (CHECK ONE): MOHAWK BROWN ☐ APACHE BLACK ☐
I'd like to get a new Remington Model 552 for Christmas.
The tough, trouble-free 22 automatic that puts out any combination of short, long or long rifle cartridges as fast as you can fire 'em. Choice of standard walnut-stocked Model 552 or new De Luxe 552 BDL (shown above) that's loaded with custom features. From $57.95.*
It's available at
(DEALER NAME AND ADDRESS)
MODEL (CHECK ONE): STANDARD 552 ☐ DE LUXE 552 BDL ☐
I'd like to get a new Remington Model 572 for Christmas.
America's leading pump-action 22 rifle. Slick, smooth and sweet to handle. Exclusive single-loading feature makes it an ideal first gun. Choose from standard walnut-stocked Model 572 or new De Luxe 572 BDL (shown above) that has everything! From $59.95.*
It's available at
(DEALER NAME AND ADDRESS)
MODEL (CHECK ONE): STANDARD 572 ☐ DE LUXE 572 BDL ☐
I'd like to get a new Remington Model 870 for Christmas.
World's most dependable pump shotgun. Up to five-shot capacity. All standard chokes and barrel lengths. In field (12, 16, 20 gauges), trap (12 gauge only), skeet (12 and 20 gauges), magnum (12 and 20 gauges) and deer gun (12 gauge with rifle-sight barrel) models. From $99.95.*
It's available at
(DEALER NAME AND ADDRESS)
GAUGE CHOKE BARREL LENGTH
BARREL (CHECK ONE): PLAIN ☐ VENT RIB ☐ MODEL (CHECK ONE): FIELD ☐ TRAP ☐ SKEET ☐ MAGNUM ☐ DEER ☐
Remington, DU PONT

Un bon moyen de vous faire offrir un fusil Remington pour Noël.

Tu as dans l'idée de te faire offrir un Remington pour Noël, et tu veux t'assurer de recevoir le modèle de tes rêves ? La solution : dépose la vignette de ton choix sur la table de papa, de maman, ou de la cuisine.

P.S. : les cartouches Remington sont un super cadeau aussi.

Isn't it time you gave yourself a Christmas Gift?
While you're making everybody happy . . . do a good job and include yourself!
Give yourself a present you've probably wanted for years — a fine Colt handgun. Whether you're a target shooter or a plinker, there's a Colt made especially for you, and you'll take a very special pride in owning it. Pride, too, in calling your shots, time after time, with a Colt.
Shown here are three of the most famous handguns ever made. Two are capable of breaking all standing records — the Match Target Woodsman and the Officers Model Match. The Third — the Sport Model Woodsman — is the favorite camp and small game weapon. All are superb guns of their type. Choose one before Christmas, wherever sporting goods are sold . . . or send for a catalog if you still have time!
FREE! MAIL TODAY!
COLT'S MANUFACTURING COMPANY
1113 Van Dyke Ave., Hartford, Conn.
Please send my free copy of Colt's Handgun Manual and Catalog.
Name
Street
City
Zone
State
Look at the records held by Colt Revolvers and Automatic Pistols
COLT
MATCH TARGET WOODSMAN
$84.50
Caliber: .22 Long Rifle
A heavy-barreled, precision automatic with perfect balance and sights permitting the finest adjustments. Barrel: 6" (optional, 4½"). Sights: Colt ACCRO Rear Sight, elevation and windage click adjustments. Custom type stocks with thumb rest, automatic slide stop, magazine safety.
OFFICERS MODEL MATCH
$79.35
Calibers: .22 Long Rifle .38 Special
A revolver for 10-ring accuracy! Modified tapered barrel (6") for perfect balance. Fast cocking wide hammer spur, full checkered walnut stocks. Colt ACCRO Rear Sight, safety lock.
SPORT MODEL WOODSMAN
$69.60
Caliber: .22 Long Rifle
Holster adaptation of the Match Target model, with round 4½" barrel and quick-draw, holster-free front sight.

Ne serait-il pas temps de vous offrir un cadeau pour Noël ?

Offrez-vous ce cadeau que vous attendiez probablement depuis des années. Que vous soyez chasseur, ou tireur sur cible, il y a un colt fait pour vous, et vous serez fier d'en posséder un.

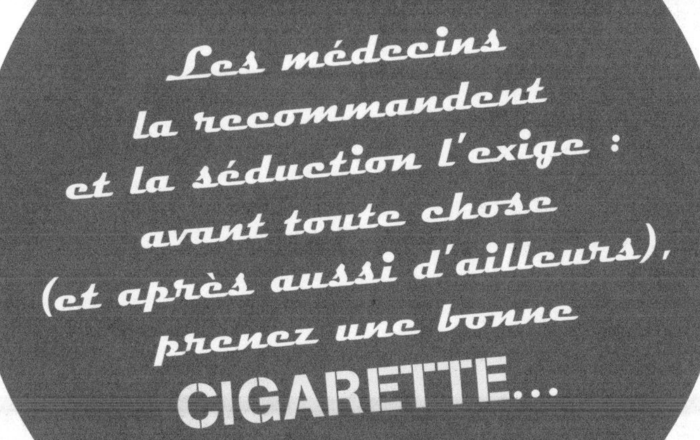
Les médecins
la recommandent
et la séduction l'exige :
avant toute chose
(et après aussi d'ailleurs),
prenez une bonne
CIGARETTE...

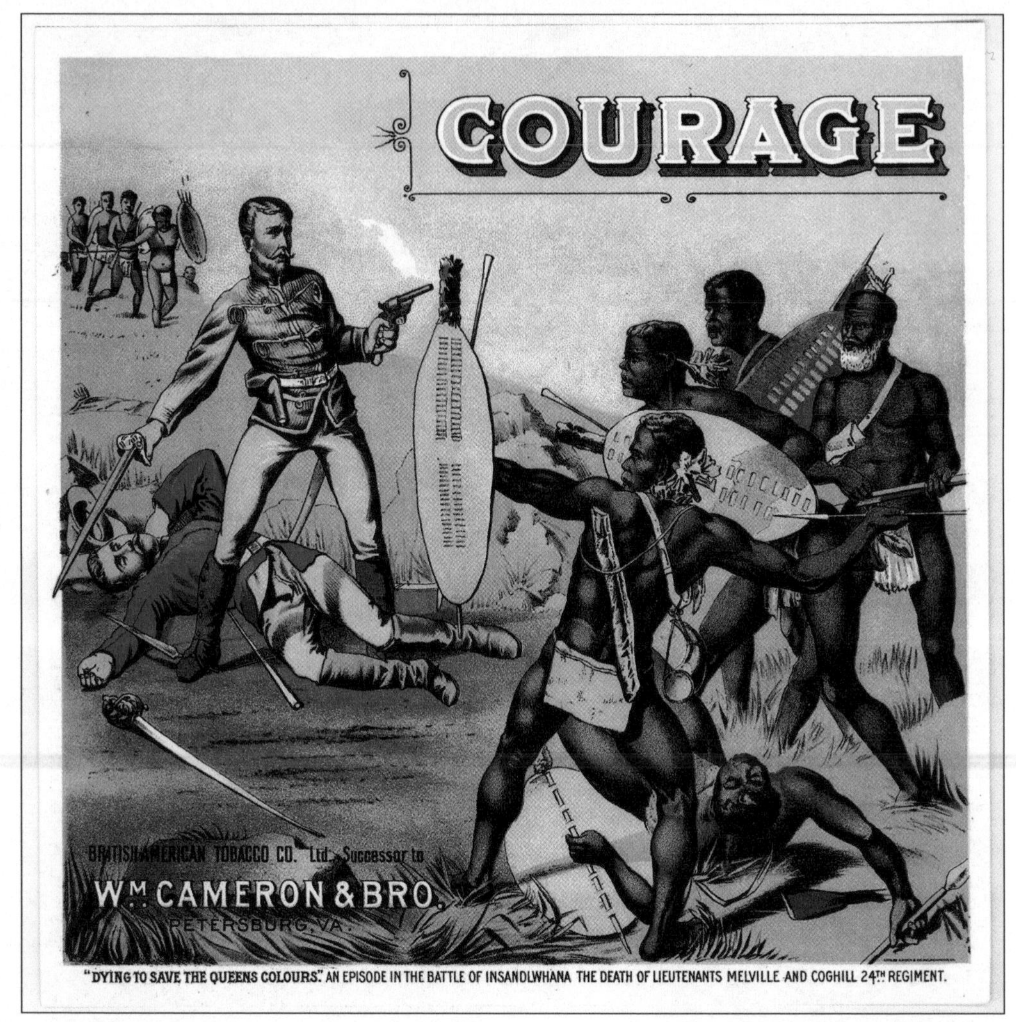
COURAGE
BRITISH AMERICAN TOBACCO CO. Ltd. Successor to
W^M CAMERON & BRO.
PETERSBURG, VA.
"DYING TO SAVE THE QUEENS COLOURS." AN EPISODE IN THE BATTLE OF INSANDLWHANA THE DEATH OF LIEUTENANTS MELVILLE AND COGHILL 24TH REGIMENT.

Bataille d'Insandlwhana : le lieutenant Melville et Coghill, du 24e régiment, mourant pour la gloire de la reine.

Le tabac rend plus fort et donne le courage de battre n'importe quel «sauvage».

"Nature in the Raw is seldom MILD"
—and raw tobaccos have no place in cigarettes
LUCKY STRIKE
CIGARETTES
"It's toasted"

La nature à l'état brut est rarement douce.
Le tabac brut n'a donc pas sa place dans une cigarette.

HEAVENS! WHAT WILL KEEP THESE CHILDREN QUIET?
PEOPLE GROW CRAZY AT THE RIOT,
AND BRING THEM CANDY, CAKES AND PIE,
THE MORE THEY BRING, THE MORE THEY CRY.
SMOKE DUKE DURHAM.
DUKE OF DURHAM

Publicité suggérant que le tabac Duke of Durham, contrairement aux bonbons, a la capacité de calmer les enfants.

YOUNG FRITZ
THE FRITZ BROS. CO.
MANUFACTURERS OF
HIGH GRADE CIGARS
ESTABLISHED 1874
LEADING BRANDS
"Marguerite"
"El Ricardo"
"La Josephine"
"Cleola"
"Don Bruno"

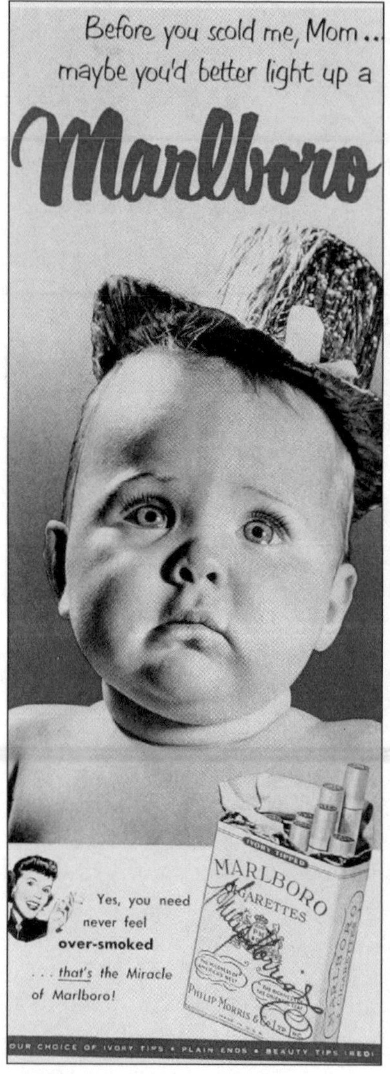
Before you scold me, Mom...
maybe you'd better light up a
Marlboro
Yes, you need never feel over-smoked ... that's the Miracle of Marlboro!
MARLBORO

Gee, Mommy
you sure enjoy your
Marlboro
Yes, you need never feel over-smoked .... that's the Miracle of Marlboro!
MARLBORO

You're darn tootin
my dad smokes
Marlboro
...he knows
a good thing!
Yes, you need never feel over-smoked ...that's the Miracle of Marlboro!
MARLBORO

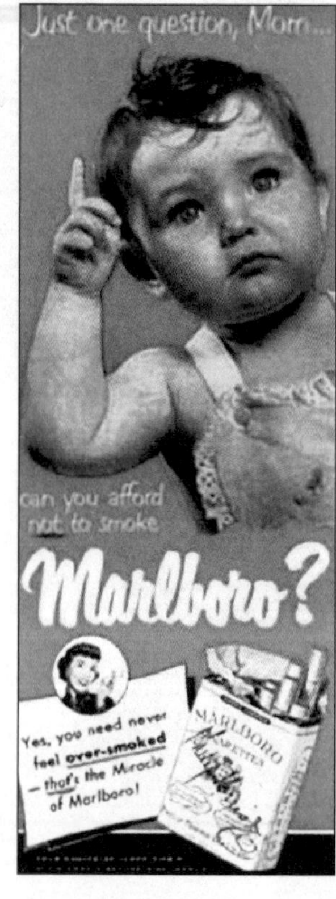
Just one question, Mom...
can you afford
not to smoke
Marlboro?
Yes, you need never feel over-smoked — that's the Miracle of Marlboro!
MARLBORO

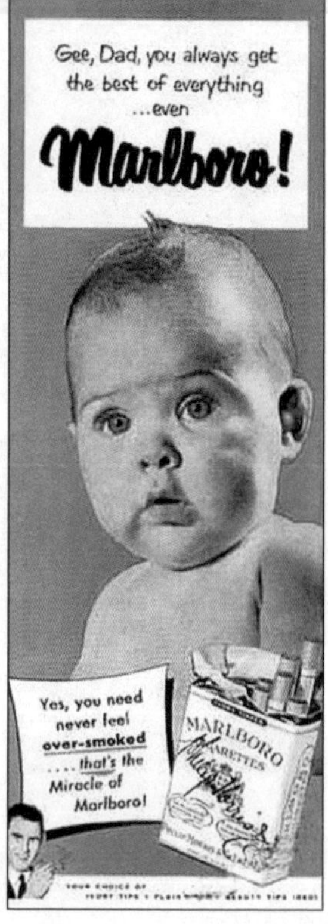
Gee, Dad, you always get
the best of everything
...even
Marlboro!
Yes, you need never feel over-smoked .... that's the Miracle of Marlboro!
MARLBORO

Avant de me gronder, Maman...
allume une Marlboro.

Dis, Maman, t'as vraiment l'air
d'apprécier ta Marlboro.

T'as raison, mon père fume
Marlboro, il sait ce qu'est bon !

Juste une question, Maman... Peux-tu te permettre de ne pas fumer ?

Dis, papa, t'as toujours ce qui se fait
de mieux... même Marlboro !

En effet vous n'aurez jamais l'impression d'avoir trop fumé... C'est le miracle de Marlboro.

February 18, 1956
THE SATURDAY EVENING POST
Philip Morris
Cigarettes
Philip Morris
King Size
or
Regular
Snap-open
Pack
Born gentle
PROUD mothers, please forgive us if we too feel something of the pride of a new parent. For new Philip Morris, today's Philip Morris, is delighting smokers everywhere. Enjoy the gentle pleasure, the *fresh unfiltered flavor*, of this new cigarette, born gentle, then refined to special gentleness in the making. Ask for new Philip Morris in the smart new package.
New Philip Morris...gentle for modern taste

Douces dès le premier jour.

Fières mamans, veuillez nous excuser si nous aussi nous ressentons la fierté d'être un nouveau parent. Car les nouvelles Philip Morris font le bonheur des fumeurs.

Why be Irritated ?
Light an Old Gold
Apple "Honey" helps guard O.Gs. from Cigarette Dryness
Old Gold Cigarettes

Pourquoi s'énerver ?
Allumez une Old Gold.

Les cigarettes recommandées par les médecins.

"I'll Be Right Over!"
...24 hours a day your doctor is "on duty"... guarding health...protecting and prolonging life...
According to a recent Nationwide survey:
MORE DOCTORS SMOKE CAMELS THAN ANY OTHER CIGARETTE!
THE "T-ZONE" TEST WILL TELL YOU
CAMELS Costlier Tobaccos

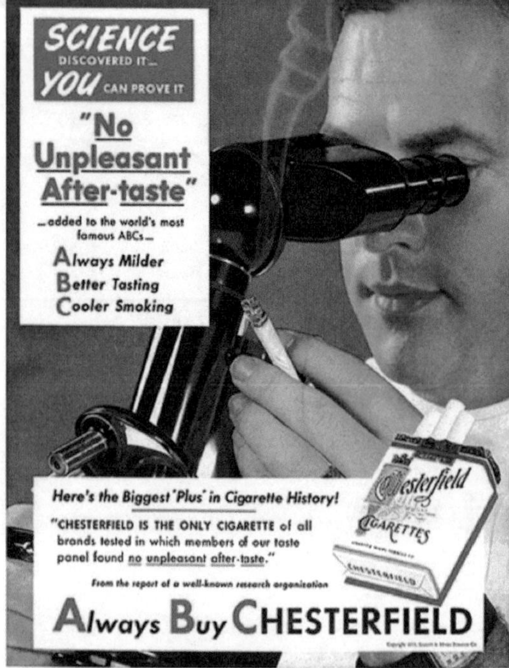
SCIENCE DISCOVERED IT... YOU CAN PROVE IT
"No Unpleasant After-taste"
...added to the world's most famous ABCs...
Always Milder
Better Tasting
Cooler Smoking
Here's the Biggest 'Plus' in Cigarette History!
"CHESTERFIELD IS THE ONLY CIGARETTE of all brands tested in which members of our taste panel found no unpleasant after-taste."
From the report of a well-known research organization
Always Buy CHESTERFIELD
Chesterfield Cigarettes

La science l'a découvert, vous pouvez le prouver.
Pas d'arrière-goût désagréable.

"I'm going to grow a hundred years old!"
...and possibly she may—for the amazing strides of medical science have added years to life expectancy
According to a recent Nationwide survey:
More Doctors smoke Camels than any other cigarette!
THE "T-ZONE" TEST WILL TELL YOU
CAMELS Costlier Tobaccos

He's one of the busiest men in town. While his door may say *Office Hours 2 to 4*, he's actually on call 24 hours a day.
The doctor is a scientist, a diplomat, and a friendly sympathetic human being all in one, no matter how long and hard his schedule.

According to a recent Nationwide survey:

MORE DOCTORS SMOKE CAMELS
THAN ANY OTHER CIGARETTE

DOCTORS in every branch of medicine—113,597 in all—were queried in this nationwide study of cigarette preference. Three leading research organizations made the survey. The gist of the query was—What cigarette do you smoke, Doctor?

The brand named most was Camel!

The rich, full flavor and cool mildness of Camel's superb blend of costlier tobaccos seem to have the same appeal to the smoking tastes of doctors as to millions of other smokers. If you are a Camel smoker, this preference among doctors will hardly surprise you. If you're not—well, try Camels now.

CAMEL
TURKISH & DOMESTIC BLEND CIGARETTES
CHOICE QUALITY

Your "T-Zone" Will Tell You...
T for Taste...
T for Throat...
that's your proving ground for any cigarette. See if Camels don't suit your "T-Zone" to a "T."

CAMELS *Costlier Tobaccos*

Il est un des hommes les plus occupés du quartier. Mais qu'importe son emploi du temps surchargé, un médecin reste à la fois un scientifique, un diplomate, ainsi qu'un homme aimable et complaisant. **Les médecins fument plus de Camels que n'importe quelle autre marque de cigarettes**

◄ **« Je vais vivre jusqu'à cent ans ! Et c'est tout à fait possible. »**

IS THIS YOU FIVE YEARS FROM NOW?
When tempted to over-indulge
"Reach for a Lucky instead"
Be moderate—be moderate in all things, even in smoking. Avoid that future shadow* by avoiding over-indulgence, if you would maintain that modern, ever youthful figure. "Reach for a Lucky instead."
Lucky Strike, the finest Cigarette you ever smoked, made of the finest tobacco—The Cream of the Crop—"IT'S TOASTED." Lucky Strike has an extra, secret heating process. Everyone knows that heat purifies and so 20,679 physicians say that Luckies are less irritating to your throat.
©1930, The American Tobacco Co., Manufacturers
LUCKY STRIKE
"IT'S TOASTED"
CIGARETTES
"It's toasted"
Your Throat Protection—against irritation—against cough.
*We do not say smoking Luckies reduces flesh. We do say when tempted to over-indulge, "Reach for a Lucky instead."

STRAIGHT FROM THE SHOULDER!
When tempted to over-indulge
"Reach for a Lucky instead"
Be moderate—be moderate in all things, even in smoking. Avoid that future shadow* by avoiding over-indulgence, if you would maintain that modern, ever-youthful figure. "Reach for a Lucky instead."
Lucky Strike, the finest Cigarette you ever smoked, made of the finest tobacco—The Cream of the Crop—"IT'S TOASTED." Lucky Strike has an extra, secret heating process. Everyone knows that heat purifies and so 20,679 physicians say that Luckies are less irritating to your throat.
LUCKY STRIKE
"IT'S TOASTED"
CIGARETTES
"It's toasted"
Your Throat Protection—against irritation—against cough.
*We do not say smoking Luckies reduces flesh. We do say when tempted to over-indulge, "Reach for a Lucky instead."

FACE THE FACTS!
When tempted to over-indulge
"Reach for a Lucky instead"
Be moderate—be moderate in all things, even in smoking. Avoid that future shadow* by avoiding over-indulgence, if you would maintain that modern, ever-youthful figure. "Reach for a Lucky instead."
Lucky Strike, the finest Cigarette you ever smoked, made of the finest tobacco—The Cream of the Crop—"IT'S TOASTED." Lucky Strike has an extra, secret heating process. Everyone knows that heat purifies and so 20,679 physicians say that Luckies are less irritating to your throat.
LUCKY STRIKE
CIGARETTES
"It's toasted"
Your Throat Protection—against irritation—against cough.
*We do not say smoking Luckies reduces flesh. We do say when tempted to over-indulge, "Reach for a Lucky instead."

D'un coup d'épaule. **Regardez la réalité en face.**

« Quand l'envie de trop manger vous prend, choisissez plutôt une Lucky Strike. »

◀ **Cela pourrait-il être vous dans cinq ans ?**
Les cigarettes Lucky Strike ont un processus de chauffage supplémentaire secret. Tout le monde sait que la chaleur a pour effet de purifier. Pour cette même raison, 20 679 médecins affirment que les Lucky Strike irritent moins la gorge que les autres cigarettes. Votre protection contre l'irritation et la toux.

IT'S BETTER TO BE FIT THAN FAT
Don't eat between meals
EATING between meals causes fat, and fat des roys your waistline — your fitness—your energy. Here's a simple pleasant way to overcome the craving for between-meal bites — it's the Kensitas way. Every time you have the temptation to eat between meals — don't do it — smoke a Kensitas Instead.
There's a mellow satisfaction in the appetising aroma of a Kensitas. You'll be delighted to see how quickly the Kensitas way eliminates the desire to eat between meals. Try it — you'll like it!
MANUFACTURED BY THE KENSITAS PRIVATE PROCESS
10 for 6d – 20 for 1/-
"As good as really good cigarettes can be"
"Your Kensitas Cigarettes Sir"
REAL VIRGINIA

Il vaut mieux être mince que gras.
À chaque fois que vous serez tenté de grignoter entre les repas, fumez plutôt une cigarette Kensitas. Vous serez surpris de constater à quel point elles éliminent la sensation de faim.

ALL OVER AMERICA...
MORE SCIENTISTS AND EDUCATORS
SMOKE KENT with the MICRONITE FILTER
than any other cigarette!
KENT
KING SIZE
For good smoking taste,
it makes good sense to smoke KENT

Dans tout le pays... les scientifiques et les enseignants fument plus de cigarettes Kent que n'importe quelle autre marque.

Tiparillo M
Should a gentleman offer a Tiparillo to a dental hygienist?
"The doctor is a little late, sir. Will you have a seat?"
She's the best thing to hit dentistry since novocaine. "Hey Dummy," your mind says to you, "why didn't you have this toothache sooner?"
Maybe if...well, you could offer her a Tiparillo®. Or a Tiparillo M with menthol. An elegant, tipped cigar. Slim. And your offer would be cleverly psychological. (If she's a bit of a kook, she'll take it. If not, she'll be flattered that you *thought* she was a bit of a kook.) And who knows? Your next visit might be a house call.

Cette marque de cigarillo Tiparillo M se vend comme étant un atout pour séduire les femmes. La forme fine et longue de ces cigarillos séduirait les femmes par son élégance et son goût raffiné.

How come
I enjoy smoking
and you don't?
Salem's why. Great taste. Fresh menthol.
Switch to Salem for enjoyment.
Salem King & Salem 100's.

L'homme viril fume, c'est même sa première arme de séduction massive.

Comment se fait-il que j'aime fumer et pas vous ?

Tiparillo M
Should a gentleman offer a Tiparillo to a violinist?
After a tough evening with the Beethoven crowd, she loves to relax and listen to her folk-rock records. Preferably, on *your* stereo.
She's open-minded. So maybe tonight you offer her a Tiparillo®. She might like it—the slim cigar with a white tip. Elegant. And, you dog, you've got both kinds on hand. Tiparillo Regular and new Tiparillo M with menthol—her choice of mild smoke or cold smoke.
Well? Should you offer? After all, if she likes the offer, she might start to play. No strings attached.

Un gentleman devrait-il offrir une cigarette à une violoniste ?
Elle est ouverte d'esprit. Peut-être ce soir devriez-vous lui offrir une Tiparillo.

Quelques volutes de fumée, et les femmes tombent comme des mouches.

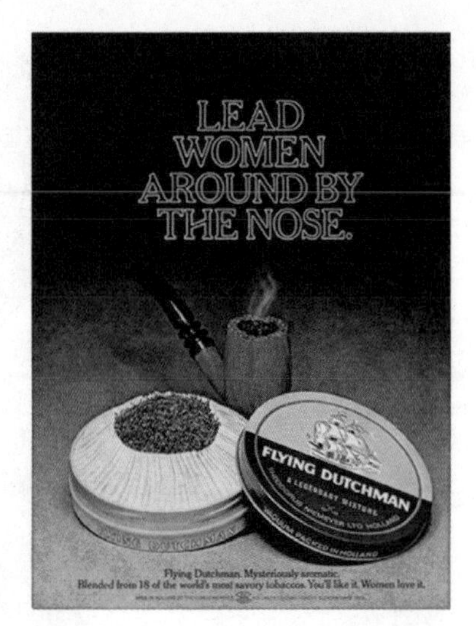
LEAD
WOMEN
AROUND BY
THE NOSE.
FLYING DUTCHMAN
Flying Dutchman. Mysteriously aromatic.
Blended from 18 of the world's most savory tobaccos. You'll like it. Women love it.

Menez les femmes par le bout du nez.

No woman ever says no to Winchester.
Take a puff. Blow in her ear. And she'll follow you anywhere. Because one whiff of Winchesters sexy aroma tells her everything she ever wanted to know about you. But was afraid to ask. It tells her you're a man, but a man of taste. A taste for mildness. Lightness. She takes a puff. Winchester's filtered smoothness tells her it's not a cigarette. Not just another little cigar. It's a whole 'nother smoke. And she knows that you know: where there's smoke, there's fire.
Winchester. It's a whole 'nother smoke.
©1973 R. J. Reynolds Tobacco Co.

20 LITTLE CIGARS
WINCHESTER

Une femme ne refuse jamais une Winchester. Prends une taffe, souffle-lui dans l'oreille et elle te suivra partout. Parce qu'une bouffée de l'arôme sexy des Winchester lui dira tout ce qu'elle a toujours voulu savoir sur vous sans jamais avoir osé poser la question.

Blow in her face and she'll follow you anywhere.
Hit her with tangy Tipalet Cherry. Or rich, grape-y Tipalet Burgundy. Or luscious Tipalet Blueberry. It's Wild! Tipalet. It's new. Different. Delicious in taste and in aroma. A puff in her direction and she'll follow you, anywhere. Oh yes... you get smoking satisfaction without inhaling smoke.
TIPALET
TIPALET
TIPALET
TIPALET
Smokers of America, do yourself a flavor. Make your next cigarette a
Tipalet.
New from Muriel.
About 5 for 25¢.

Souffle-lui la fumée au visage et elle te suivra partout.

To keep a slender figure
No one can deny...
Reach
for a
LUCKY
instead of a
sweet
LUCKY
STRIKE
"IT'S TOASTED"
CIGARETTES
"It's toasted"
No Throat Irritation-No Cough.

Pour votre ligne, personne ne dira le contraire,
prenez une Lucky plutôt qu'une sucrerie.

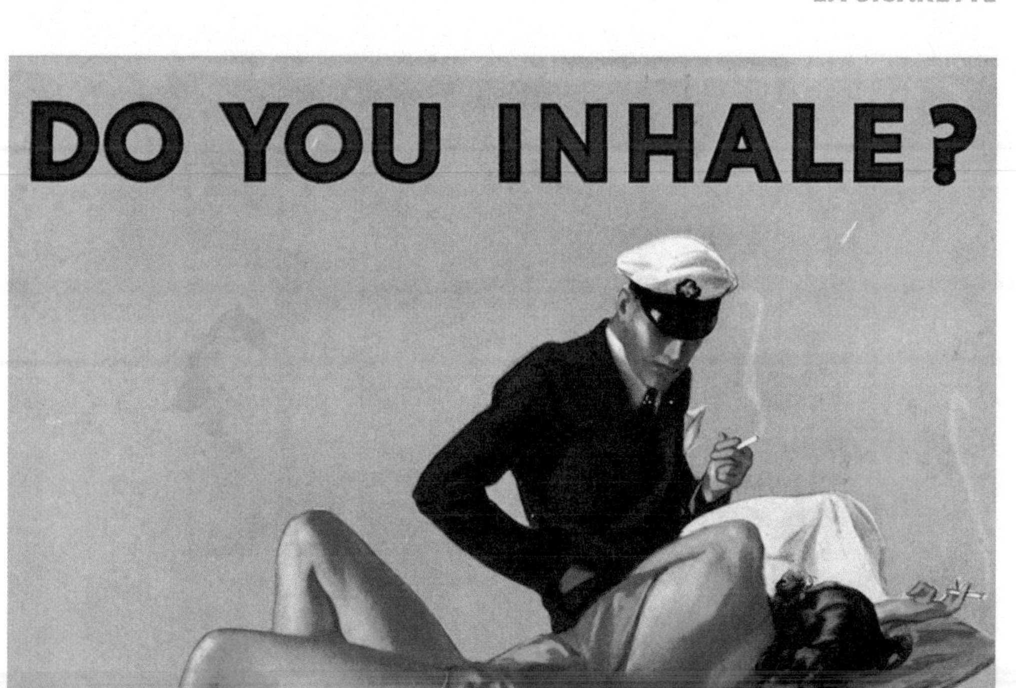
DO YOU INHALE?
Certainly...
7 out of 10 smokers inhale knowingly... the other 3 inhale unknowingly
DO you inhale? Seven out of ten smokers *know* they do. The other three inhale without realizing it. *Every* smoker breathes in some part of the smoke he or she draws out of a cigarette.
Think, then, how important it is to be certain that your cigarette smoke is pure and clean—to be sure you don't inhale certain impurities!
Do you inhale? Lucky Strike has dared to raise this much-avoided subject... because certain impurities concealed in even the finest, mildest tobacco leaves are removed by Luckies' famous purifying process. Luckies created that process. Only Luckies have it!
Do you inhale? More than 20,000 physicians, after Luckies had been furnished them for tests, *basing their opinions on their smoking experience,* stated that Luckies are less irritating to the throat than other cigarettes.
"It's toasted"
Your Protection-against irritation-against cough
LUCKY STRIKE
"IT'S TOASTED"
CIGARETTES
O. K. AMERICA
TUNE IN ON LUCKY STRIKE—60 modern minutes with the world's finest dance orchestras, and famous Lucky Strike features, every Tuesday, Thursday and Saturday evening over N. B. C. networks.
Copr., 1932, The American Tobacco Co.

Est-ce que t'avales ? Certainement...7 fumeurs sur 10 avalent en connaissance de cause, les trois restants le font sans le savoir.

j'aime
que tu fumes la pipe
...et j'adore
l'arôme unique de
Clan

Clan

délicieux mélange pour ia pipe

50 g. 3,10 F

Pour recevoir gratuitement notre très belle plaquette : « FUMER LA PIPE, UN ART MASCULIN », écrivez à : TABAC CLAN, Dép. n° 103, boîte postale 172, Paris 17e

N
NIEMEYER

Ahhh!
encore un homme...
...qui fume
Clan
arôme unique
douceur inégalable
un grand tabac
Clan
NIEMEYER MIXTURE
Délicieux mélange pour la pipe
composé par THEODORUS NIEMEYER LTD.
GRONINGEN-HOLLANDE
3 F. les 50 g.

Old Gold
CIGARETTES
No song and dance
about medical claims...
Old Gold's specialty is to give
you a TREAT instead of a TREATME

Le tabac Clan met la femme à genoux et la déshabille à moitié, alors que certaines marques vont la caricaturer en la représentant mi femme, mi cigarette, comme un objet de désir détourné.

La spécialité des cigarettes Old Gold's est de vous soigner, et non de vous donner un traitement médicamenteux.

Old Gold
CIGARETTES
KING SIZE

FACTORY No 7. 5TH DIST. N.J.
ZIRA GIRLS
MADE FOR MEN.
CLARISSA
ETTA
CLARISSA :- OH! ETTA, I SEE OUR FINISH!
ETTA :- ME TOO!
ZIRA CIGARETTES

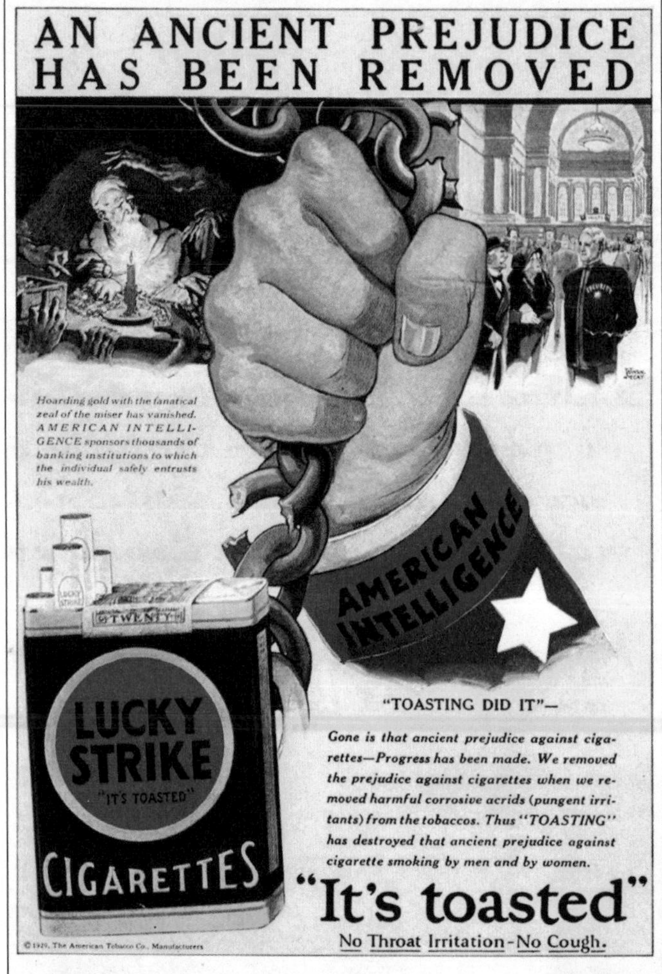
AN ANCIENT PREJUDICE
HAS BEEN REMOVED
Hoarding gold with the fanatical zeal of the miser has vanished. AMERICAN INTELLIGENCE sponsors thousands of banking institutions to which the individual safely entrusts his wealth.
AMERICAN INTELLIGENCE
LUCKY STRIKE
"IT'S TOASTED"
CIGARETTES
TWENTY
"TOASTING DID IT"—
Gone is that ancient prejudice against cigarettes—Progress has been made. We removed the prejudice against cigarettes when we removed harmful corrosive acrids (pungent irritants) from the tobaccos. Thus "TOASTING" has destroyed that ancient prejudice against cigarette smoking by men and by women.
"It's toasted"
No Throat Irritation-No Cough.

Un vieux préjugé vient d'être aboli.
Nous avons aboli le préjugé contre la cigarette, en retirant les acides corrosifs irritants du tabac.

If I'm going to smoke,
I'm going to do it right.
Winston
Some people smoke a brand for its image.
I don't. You can't taste image. I smoke for taste.
I smoke Winston. All Winston will ever give you
is real taste. And real pleasure. For some of us,
that's enough. Winston is for real.
Warning: The Surgeon General Has Determined That Cigarette Smoking Is Dangerous to Your Health.

Quitte à fumer, autant bien le faire.
Certaines personnes fument pour leur image. Pas moi.
On ne peut pas goûter une image, et moi je fume pour le goût.

MECCARILLOS
capé d'une feuille de tabac sélectionnée, roulé et non pressé, un vrai petit cigare
Meccarillos.
Pour bousculer un instant le quotidien.

La révolution culturelle de 1968 a troublé les codes, les publicitaires tentent maladroitement des approches nouvelles en inversant les rôles.

Guard Against Throat-Scratch
enjoy the smooth smoking of fine tobaccos
...smoke PALL MALL the cigarette whose mildness you can measure
PALL MALL
FAMOUS CIGARETTES
Study This Puff Chart:
PUFF BY PUFF...YOU'RE ALWAYS AHEAD WITH PALL MALL
1
2
3
The further your cigarette filters the smoke through fine tobaccos, the milder that smoke becomes. At the first puff, PALL MALL's smoke is filtered further than that of any other leading cigarette.
Again after 5 puffs of each cigarette your own eyes can measure the extra length for extra mildness as the smoke of PALL MALL's traditionally fine tobaccos is filtered further. Moreover, after 10 puffs of each cigarette...
... or 17 puffs, Pall Mall's greater length of fine tobaccos still travels the smoke further —filters the smoke and makes it mild. Thus Pall Mall gives you a smoothness, mildness and satisfaction no other cigarette offers you.
Wherever you go today, you will see more and more people smoking PALL MALL— the cigarette whose mildness you can measure.
Merry Christmas
PALL MALL
Outstanding
...and they are mild!
P.S. LET A CARTON OF PALL MALLS SAY "MERRY CHRISTMAS" FOR YOU

Protège contre les irritations de la gorge.
Regardez ce graphique. De bouffée en bouffée... vous serez toujours les premiers avec Pall Mall. De nos jours on voit de plus en plus de gens fumer des Pall Mall, des cigarettes dont tout le monde peut tester la douceur.

Une vraie vérité puisque c'est le Père Noël qui vous le dit !

Qu'importe le
flacon pourvu qu'on ait
l'ivresse, à toute heure
l'ALCOOL
vous apportera joie
et bonheur...

La Bière est Nourrissante
Celle-ci en boit
Celle-là n'en boit pas

How Mother and Baby "Picked Up"
A case of Blatz Beer in your home means much to the young mother, and obviously baby participates in its benefits.
The malt in the beer supplies nourishing qualities that are essential at this time and the hops act as an appetizing, stimulating tonic.
Main 2400
BLATZ
MILWAUKEE
Always the same good old Blatz

Cette publicité présente la bière Blatz comme un remontant pour les jeunes mamans.

Beneficial to Young and Old
"GESUNDHEIT, GRANDPA"
Cultivate
the RAINIER BEER habit
It brings the glow of health and gives a new lease on life.... No medicine can equal it as a TONIC
SEATTLE BREWING & MALTING CO. Seattle, Wash.

Bon à tout âge.
Aucun médicament ne rivalise avec la Rainier Beer en tant que vitalisant.

La première
MARIE BRIZARD
la fine liqueur digestive
appréciée depuis deux siècles

ANNONCES
L'ILLUSTRATION
« UNE BONNE RECOMMANDATION »
NE PRENEZ JAMAIS LA ROUTE AUSSITOT APRÈS
UN BON REPAS SANS UN PETIT VERRE DE
LA MARQUE MONDIALE
COINTREAU
LIQUEUR

L'absinthe OXYGÉNÉE
C'est ma santé
CUSENIER Inventeur

Dans les temps anciens, « un dernier pour la route » n'était pas seulement une figure de style.

RICARD!
"sur toute la ligne"

Les Cheminots, qui ont besoin de tous leurs esprits.. ont immédiatement adopté le **RICARD**

Quelles conséquences épouvantables, en effet, pourraient avoir pour chacun de nous un seul instant d'inattention de la part de ces "responsables" du rail et de la route ! Et ils le savent bien - Ils savent qu'ils doivent être sobres et c'est pourquoi "sur toute la ligne" de Marseille à Paris, tous ne boivent que du RICARD.

Quel apéritif, en effet, peut offrir autant d'avantages ? A base naturelle de plantes aromatiques distillées aux vieux alcools rectifiés (procédé de la double rectification) le RICARD ne contient pas plus de corps cétoniques que de thuyonne (poison du système nerveux aux effets épileptisants). Approuvé par les Médecins c'est bien là "l'apéritif de bonne humeur" mais c'est surtout "l'apéritif de bonne santé", qui ouvre franchement l'appétit sans jamais faire mal à l'estomac ni à la tête.

A LA MARSEILLAISE!

Le RICARD doit se boire uniquement "à la Marseillaise", c'est-à-dire à la dose de 2 cl. 1/2 (moitié moins qu'un anis ordinaire), et 5 volumes d'eau, seule façon d'apprécier pleinement le moelleux et l'onctuosité du "vrai pa[stis] de Marseille".

Et, bien enten[du] toujours à l'[eau] glacée et sans su[cre]

45°

A Lyon, sur la ligne Paris-Marseille, un groupe sympathique déguste joyeusement le RICARD, le "vrai pastis de Marseille".

RICARD

LE VRAI PASTIS DE MARSEILLE

SIÈGE SOCIAL : DISTILLERIE RICARD, Ste-MARTHE, MARSEILLE — DÉPOTS : PARIS, LYON, CHAMBÉRY, GRENOBLE, NICE, TOULOUSE, VALENC

"Don't worry darling, you didn't burn the beer!"
Schlitz

Ne t'inquiète pas, chérie, au moins t'as pas brûlé la bière !

Le rêve absolu : l'homme rentre du travail, fourbu mais heureux, car il sait que sa femme l'attend avec sa bière préférée déjà décapsulée.

une blonde
sous pression
vous attend
à la maison
PELFORTH
PELFORTH
Pale

Budweiser
where there's life...there's Bud.
Budweiser

Budweiser.
Là où y'a de la vie,
y'a de la Bud.

Schlitz

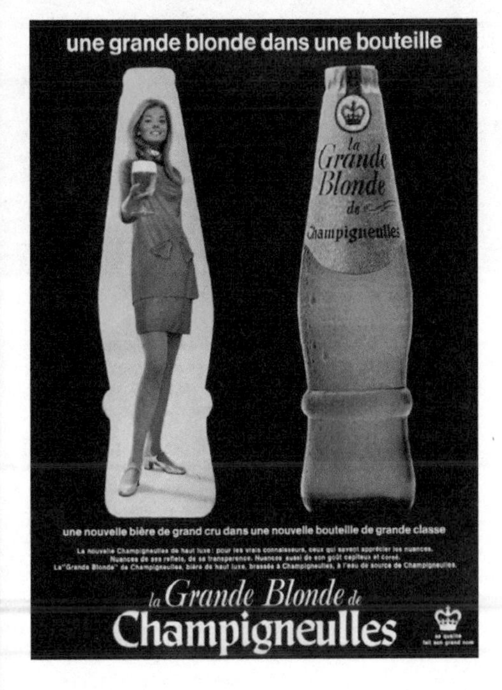
une grande blonde dans une bouteille
la Grande Blonde de Champigneulles
une nouvelle bière de grand cru dans une nouvelle bouteille de grande classe
La nouvelle Champigneulles de haut luxe : pour les vrais connaisseurs, ceux qui savent apprécier les nuances.
Nuances de ses reflets, de sa transparence. Nuances aussi de son goût capiteux et corsé.
La "Grande Blonde" de Champigneulles, bière de haut luxe, brassée à Champigneulles, à l'eau de source de Champigneulles.
la Grande Blonde de
Champigneulles

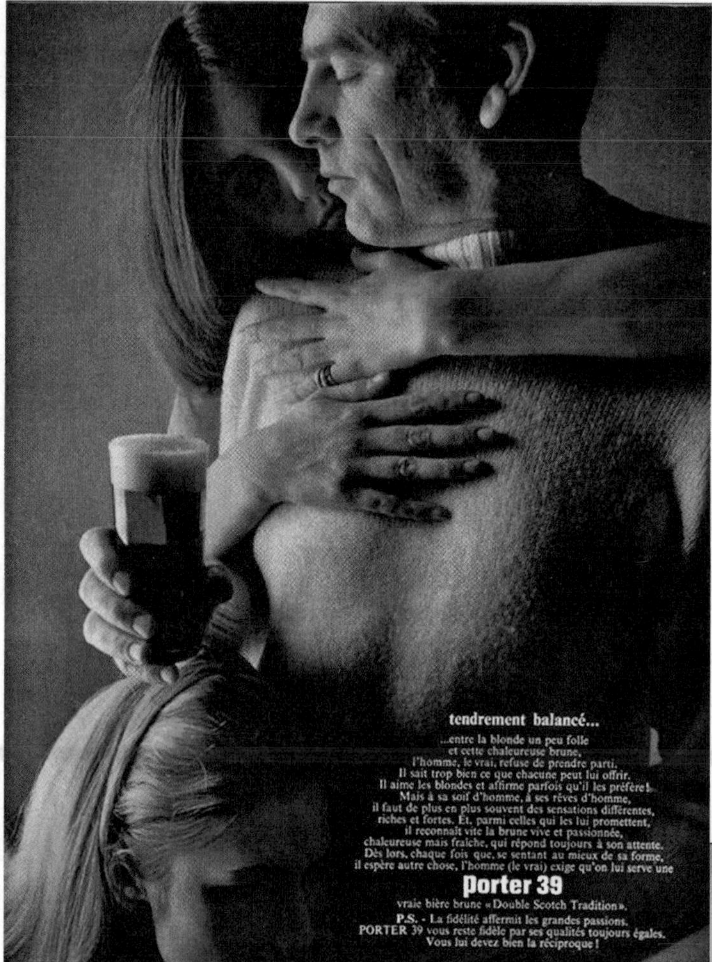
tendrement balancé...
...entre la blonde un peu folle
et cette chaleureuse brune,
l'homme, le vrai, refuse de prendre parti.
Il sait trop bien ce que chacune peut lui offrir.
Il aime les blondes et affirme parfois qu'il les préfère !
Mais à sa soif d'homme, à ses rêves d'homme,
il faut de plus en plus souvent des sensations différentes,
riches et fortes. Et, parmi celles qui les lui promettent,
il reconnaît vite la brune vive et passionnée,
chaleureuse mais fraîche, qui répond toujours à son attente.
Dès lors, chaque fois que, se sentant au mieux de sa forme,
il espère autre chose, l'homme (le vrai) exige qu'on lui serve une
Porter 39
vraie bière brune « Double Scotch Tradition ».
P.S. - La fidélité affermit les grandes passions.
PORTER 39 vous reste fidèle par ses qualités toujours égales.
Vous lui devez bien la réciproque !

L'homme, le vrai, préfère peut-être les blondes aux brunes. Mais ses rêves d'homme l'amènent à chercher de plus en plus de sensations différentes, et cette brune-ci, justement, passionnée, chaleureuse mais fraîche, répond toujours à ses attentes. L'homme (le vrai) exige qu'on lui serve une Porter 39.

Pabst Blue Ribbon
WRITE ON A TYPEWRITER WITH ONE KEY?
Might as well try to make truly great beer from just one brewing! That's why Pabst Blue Ribbon is *full-flavor blended* from at least 33 fine brews... to insure depth of *flavor*, even *goodness*, superb *quality*. Order it with confidence, serve it with pride — for no matter where you go, there is no finer beer than Pabst Blue Ribbon.
33 Fine Brews
BLENDED
into One Great Beer
sallyedelsteincollage.com

Taper à la machine avec une seule touche ?
Autant essayer de fabriquer une grande bière en ne la brassant qu'une fois !

"Look darling they've pinched your idea"
How dare they! Our drink. Made public. I suppose it was inevitable though. I mean, if one discovers how fantastic Cointreau is swirling around on great chunks of ice, one just can't keep it to oneself can one? I mean, we didn't did we? Remember how we used to serve it before dinner, after dinner or even instead of dinner!
Do you think if I wrote and told them that it was your idea first they'd send us a free bottle? Or should we sue them for plagiarism? Or should I just shut up and pour us another... Cointreauversial indeed!
As it comes or on the rocks
COINTREAU

Regarde, chéri,
ils t'ont piqué
ton idée.

Mais comment osent-ils ?
Notre boisson ? Rendue publique ?
Je suppose que c'était inévitable.
Je veux dire, si quelqu'un découvre
à quel point le cointreau est fabuleux
ils ne pourraient pas le garder pour eux.
Souviens-toi quand on le servait avant,
après, ou à la place du dîner.

Tu penses que si je leur écrivais
pour leur dire que tu as eu l'idée
en premier, ils nous enverraient
une bouteille gratuite ?
Devrait-on les poursuivre
pour plagiat ? Ou devrais-je
juste me taire et nous servir
un autre verre...
cointreauversé !

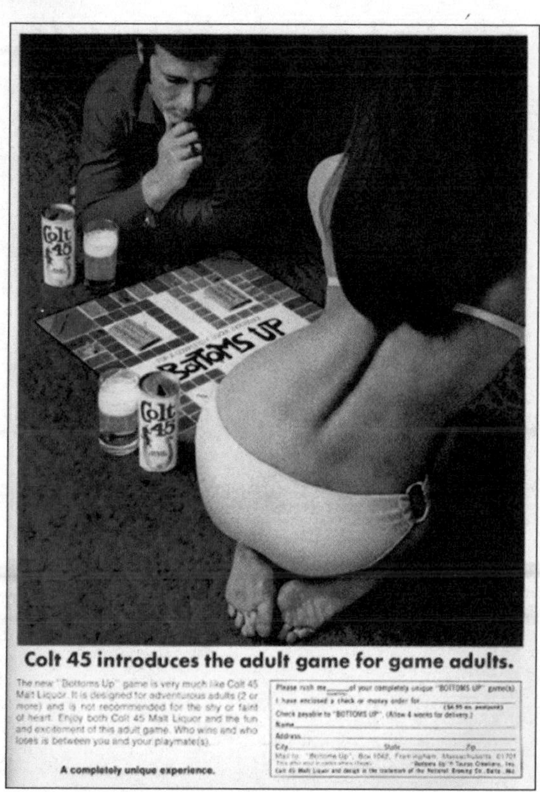
BOTTOMS UP
Colt 45
Colt 45 introduces the adult game for game adults.
The new "Bottoms Up" game is very much like Colt 45 Malt Liquor. It is designed for adventurous adults (2 or more) and is not recommended for the shy or faint of heart. Enjoy both Colt 45 Malt Liquor and the fun and excitement of this adult game. Who wins and who loses is between you and your playmate(s).
A completely unique experience.
Name
Address
City State Zip

Colt 45 vous présente
un jeu pour adulte.
Le nouveau jeu Bottoms Up ressemble
beaucoup à la liqueur de malt Colt 45.
Il a été conçu pour les adultes aventureux.
Pour deux joueurs ou plus... et n'est pas
conseillé aux timides, pas plus qu'aux
âmes sensibles. Ce jeu se marie
à merveille avec le Colt 45.

J'aime ma femme.
J'aime la Kronenbourg.
Ma femme
achète la Kronenbourg par six.

6-Kronenbourg
6-Kronenbourg
C'est fou ce que j'aime ma femme.

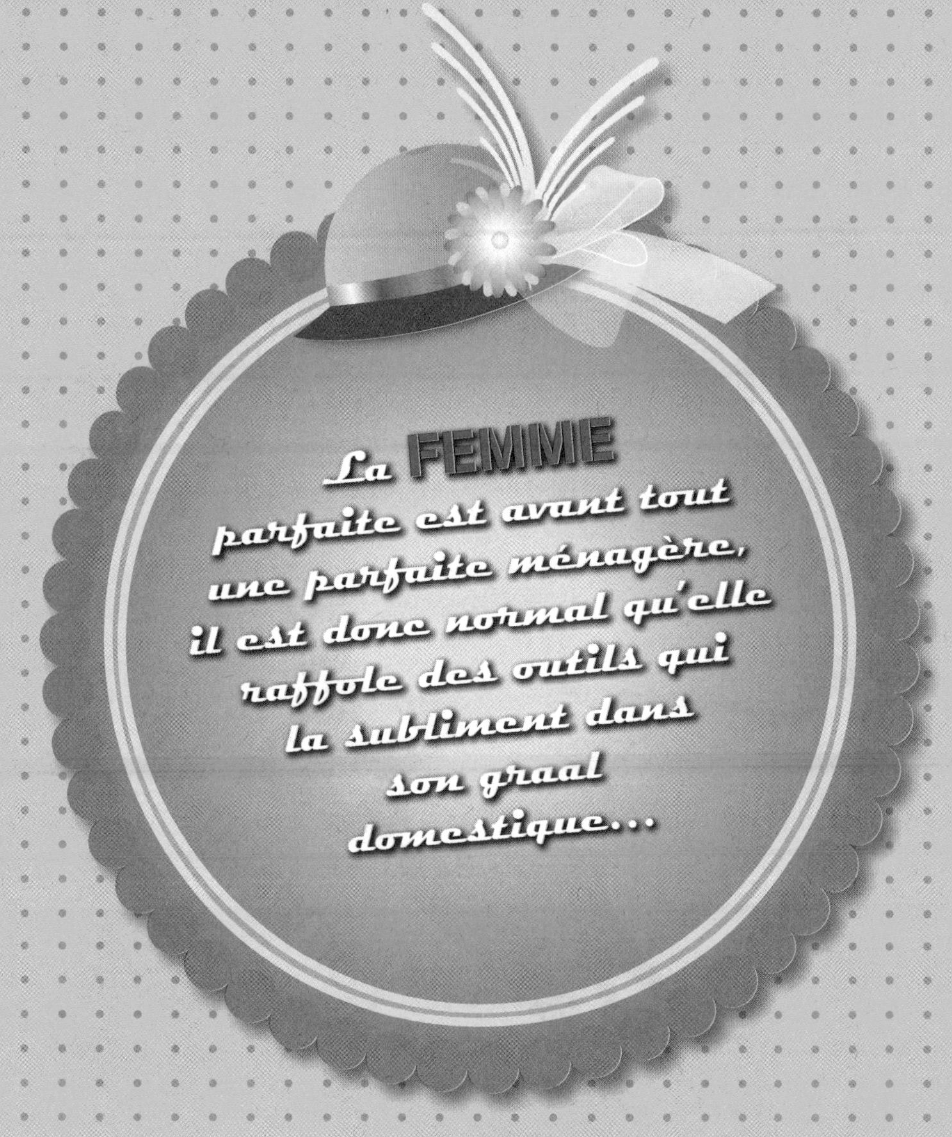
La FEMME
parfaite est avant tout
une parfaite ménagère,
il est donc normal qu'elle
raffole des outils qui
la subliment dans
son graal
domestique...

ASPIRATEUR
FRIGÉLUX
elle aime ses compagnons
CIREUSE
DISTRIBUTEUR DE CIRE
Elle aime ses 3 compagnons qui lui rendent à longueur d'années bien-être, loisirs et liberté. FRIGÉLUX, réfrigérateurs ménagers de réputation mondiale, dans une série de 35 à 200 litres. LUX PRESTIGE et LUX ÉPOQUE, aspirateurs les plus puissants et les plus complets pour les soins de votre ménage. CIREUSE et son DISTRIBUTEUR DE CIRE pour l'entretien impeccable de vos parquets et carrelages.
ELECTROLUX
26, BOULEVARD MALESHERBES, PARIS-VIIIe - TÉLÉPHONE : ANJOU 52-80
SUCCURSALES DANS TOUTE LA FRANCE ET L'AFRIQUE DU NORD
R. C. Seine 28.494

Un destin tout tracé : le cœur de la femme appartient à son électroménager.

Women don't leave the Kitchen!
We all know a woman's place is in the home, cooking a man a delicious meal. But if you are still enjoying the bachelor's life and don't have a little miss waiting on you, then come down to Hardee's for something sloppy and hastily prepared.
Hardee's

Les femmes ne quittent pas la cuisine !

On sait tous que la place d'une femme est à la maison en train de cuisiner un bon repas à son mari. Mais si vous profitez encore des joies du célibat et que vous n'avez pas encore de petite demoiselle pour vous servir, venez chez Hardee's pour un repas simple et rapide.

Jane, dear ... I'm in love!
with the new
1948 PROCTOR
Automatic Pop-up Toaster!
IT WAS LOVE AT FIRST SIGHT
"So distinctive!"
"Those elegant graceful lines . . . mmmmmmm!
"That gleaming one-piece chromium top . . . so smooth...easy to clean.
"And when I got my new Proctor Toaster home...
IT WAS LOVE AT FIRST SLICE
"Delicious toast . . . yummmmmm . . . every slice pops up automatically and so quietly. And the 'color guard' control gives my family any toast color they want, light to dark.
"And the new crumb tray slides out in an instant. It's easy to keep my Proctor neat and clean."

Le bonheur, c'est simple comme un grille-pain, un aspirateur ou une cuisinière...

Jane, ma chérie... je suis amoureuse ! Avec le nouveau grille-pain Proctor 1948 !

Ça a été le coup de foudre.
Il est tellement exceptionnel !
Ses lignes élégantes... mmmmh !
Sa finition chromée, tellement lisse et facile à nettoyer.

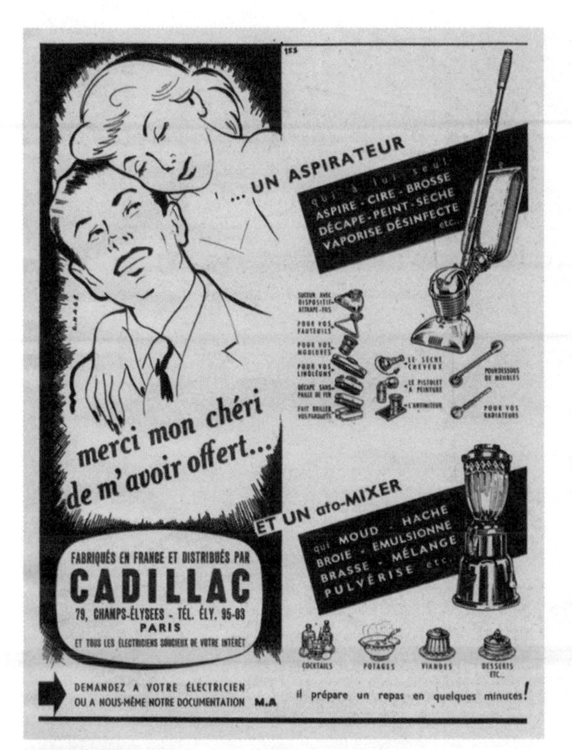
... UN ASPIRATEUR
qui à lui seul
ASPIRE - CIRE - BROSSE
DÉCAPE - PEINT - SÈCHE
VAPORISE DÉSINFECTE
etc...
SUCEUR AVEC DISPOSITIF ATTRAPE-FILS
POUR VOS FAUTEUILS
POUR VOS MOULURES
POUR VOS LINOLÉUMS
DÉCAPE SANS PAILLE DE FER
FAIT BRILLER VOS PARQUETS
LE SÈCHE CHEVEUX
LE PISTOLET À PEINTURE
L'ANTIMITEUR
POUR DESSOUS DE MEUBLES
POUR VOS RADIATEURS
merci mon chéri
de m'avoir offert...
ET UN ato-MIXER
qui MOUD - HACHE
BROIE - EMULSIONNE
BRASSE - MÉLANGE
PULVÉRISE etc...
FABRIQUÉS EN FRANCE ET DISTRIBUÉS PAR
CADILLAC
79, CHAMPS-ÉLYSEES - TÉL. ÉLY. 95-03
PARIS
ET TOUS LES ÉLECTRICIENS SOUCIEUX DE VOTRE INTÉRÊT
COCKTAILS
POTAGES
VIANDES
DESSERTS ETC...
DEMANDEZ A VOTRE ÉLECTRICIEN
OU A NOUS-MÊME NOTRE DOCUMENTATION
M.A
il prépare un repas en quelques minutes!

Ah! si votre mari
faisait lui-même
la cuisine
VOUS AURIEZ DÉJA
MADAME,
VOTRE CUISINIÈRE
Victoire
Thermor

Je suis si heureuse
Ils sont touchants :
ils ont le confort clé Sauter
et c'est la clé de leur bonheur.
En 1961
votre cuisine sera placée
sous le signe de l'élégance.
En blanc et gris,
Saulieu et Talloires gaz
vous apportent encore
trois nouveautés :
les brûleurs rapides,
les grilles étoiles,
le four grand espace.
Une seule marque, 26 Appareils records
pour 3 Services clés.
Cuisine
Lavage
Eau chaude
Sauter
GAZ
25, avenue de la Grande-Armée, Paris-XVIe - KLE 37-00
AM

Enfin!
j'ai trouvé
la cireuse idéale
et
j'entretiens mes parquets
sans fatigue grâce à la
"BABY" PARIS-RHONE
QUI DECRASSE, PASSE LA CIRE, CIRE ET LUSTRE
• ELLE DONNE AUX PARQUETS UN ÉCLAT INCOMPARABLE • TRÈS ROBUSTE, ELLE PEUT ÊTRE MISE ENTRE TOUTES LES MAINS • SON MOTEUR ANTIPARASITÉ CONSOMME PEU DE COURANT • SON PRIX EST TRÈS ABORDABLE
• EN VENTE CHEZ LES BONS ÉLECTRICIENS
PARIS-RHONE fabrique aussi :
L'ASPIRON "M" l'aspirateur de poussière idéal
L'ASPIRON "B"
le nouvel aspirateur-balai précieux complément de la CIREUSE BABY
Notices détaillées adressées gracieusement sur demande. Se référer de la revue
PARIS RHONE
85, chemin de Saint-Priest - LYON (7e)
PARIS : 202, rue de Courcelles (17e)
SALON DES ARTS MÉNAGERS • Grande Nef • Stand C 13

moi
je veux
de l'utile
et de
l'agréable
... et mes vœux sont comblés !
grâce à ma
SUPER-COCOTTE SEB
...et ma
MOKA-SEB
SUPER-COCOTTE
SEB
L'ÉPARGNE-CUISINE
Je passe moins de temps dans ma cuisine et je prépare vite et facilement tous mes repas avec ma Super-Cocotte. Mon café " se fait " rapidement et je dépense moins de mouture.
Et comme c'est agréable après un repas savoureux de déguster un véritable café "goût italien" celui qui ne se discute pas !
Moka
SEB
A L'ITALIENNE
Existe en 2L5 - 4L - 5L5
8L - 10L - 15L - 22L
69,80 nf
SEB/Selongey
(Côte d'Or)
La 6 tasses : 34,20 nf

Sans un joli mixeur, Noël ne serait pas Noël...

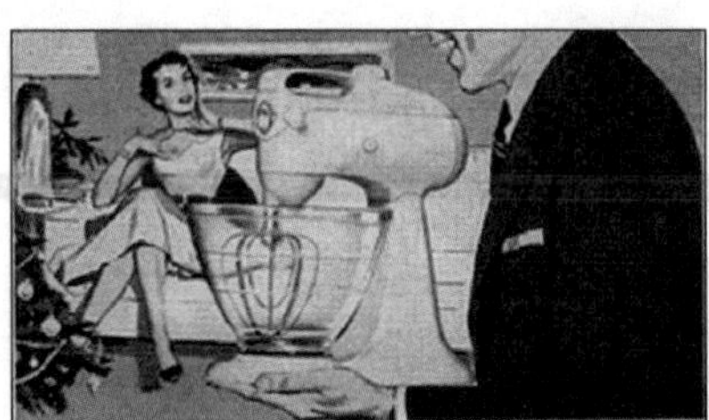

Give her a Merry Christmas

and yourself a Happy New Year

Here's the gift you'll appreciate...and the whole family will, too...a *KitchenAid* Food Preparer. It's so completely different ...so much better than the ordinary food mixer that you'll reap your reward in higher, lighter cakes, tastier pastries and cookies, fluffier whipped potatoes and a whole host of new taste thrills.

For only *KitchenAid* has thorough "round-the-bowl" mixing ...only *KitchenAid* has the built-in power to operate the wide range of useful attachments that save minutes every meal. And, only *KitchenAid* comes in decorator styled colors to accent your kitchen decor—Petal Pink, Sunny Yellow, Island Green, gleaming White, Satin Chrome and Antique Copper. It's the gift worth giving...and receiving, too!

For literature, write Dept. KS, *KitchenAid* Electric Housewares Division, The Hobart Manufacturing Company, Troy, Ohio.

KitchenAid

The Finest Made... by

Offrez-lui un joyeux Noël, et à vous-même un bon nouvel an.

Voici un cadeau que vous apprécierez... et le reste de la famille aussi : le mixeur Kitchen Aid. Vous serez récompensé avec des gâteaux plus légers, des purées plus onctueuses, et de nouvelles saveurs à partager.

HOOVER
Give her a Hoover and you
the best
Christmas morning
(and forever after)
she'll be happier
with a Hoover
HOOVER
HOOVER
P. S. to husbands:
She cares about her home, you know, so if you really care about her . . . wouldn't it be a good idea to consider a Hoover for Christmas? Prices start at $66.95. Model 29 (shown here) $95.95. Low down payment; easy terms. See your Hoover dealer now.
THE HOOVER COMPANY

Le matin de Noël (et à l'avenir), elle sera plus heureuse avec un aspirateur Hoover.

Note pour les maris : elle prend soin de sa maison, vous le savez bien, donc si vous l'aimez vraiment… ne serait-ce pas une bonne idée d'envisager de lui offrir un Hoover ?

She'll want to thank you
THREE TIMES A DAY!
An everlasting gift!
New
In-Sink-Erator

Saturn **Garbage Disposer**

The *one* gift that *quietly* ends garbage "trudgery" — frees the little woman from disagreeable trips to the garbage can. In-Sink-Erator *Saturn* flushes waste food down the drain . . . quickly, quietly.

She'll thank you every time she uses it. The whole family will thank you, too . . . because Mother will have more time to spend with the children. Her kitchen will be free of unpleasant odors . . . from germ-attracting containers. Truly, there is no finer gift for healthier, happier living!

Patented! In-Sink-Erator's exclusive automatic reversing action prevents jams, doubles shredder life.

New! Exclusive polystyrene inner-liner hushes sounds — it achieves a wonderful new level of quietness.

Write TODAY for free literature!

In•Sink•Erator® ISE

Il n'y a pas que la cuisine dans la vie, il y a aussi la lessive !

Elle voudra vous remercier 3 fois par jour ! Un cadeau éternel ! Le nouveau broyeur pour évier Saturn.

Elle vous remerciera à chaque fois qu'elle l'utilise. Toute la famille vous remerciera également car Maman aura plus de temps à consacrer à ses enfants.

She hangs the cleanest wash in town
...she swears by TIDE!
She hangs the cleanest wash in town –
From work clothes right to "undies"!
It sparkles so, you simply know
She uses Tide on Mondays!

Son linge est le plus propre du quartier. Elle ne jure que par la lessive Tide.

No wonder you women buy more TIDE than any other washday product!
TIDE'S GOT WHAT WOMEN WANT!
NO SOAP–NO OTHER "SUDS"–NO OTHER WASHING PRODUCT KNOWN–WILL GET YOUR WASH AS CLEAN AS TIDE!
New washing miracle
Tide
cleaner CLOTHES
ONLY TIDE DOES ALL THREE:
1. World's CLEANEST wash!
2. World's WHITEST wash!
3. Actually BRIGHTENS colors!
TIDE'S A SUDSING WHIZZ EVEN IN HARDEST WATER
THERE'S NOTHING LIKE PROCTER & GAMBLE'S TIDE
REMEMBER!
TIDE GETS CLOTHES CLEANER THAN ANY OTHER WASHDAY PRODUCT YOU CAN BUY!

Pas étonnant
que vous, les femmes,
achetiez plus de Tide
que n'importe quelle lessive !
Tide, c'est ce qu'elles veulent !

Simtex Cloths
MAKE SUCH LOVELY GIFTS!

This won't happen
I WAS ABOUT TO DIVORCE YOU, CLEMENTINE, BECAUSE YOU COULDN'T MAKE DECENT TEA, BUT THIS WONDERFUL BREW MAKES ME LOVE YOU ALL OVER AGAIN!
OH, LUCKY DAY! CHANGED TO LIPTON TEA ...IT HAS GIVEN ME BACK MY HUSBAND!
But this will...
DARN GOOD CUP OF TEA! HAVE YOU CHANGED BRANDS?
YES, I THOUGHT I'D TRY LIPTON. IT IS BETTER ISN'T IT?
You see teas grown in hot valleys ripen too fast So they taste flat But Lipton uses teas grown on cooler slopes...teas that ripen slow and gain rich full flavor This special flavor has made Lipton America's largest selling tea.
LIPTON TEA
In packages. In modern, new-style tea bags, too.
LIPTON
TEA
20

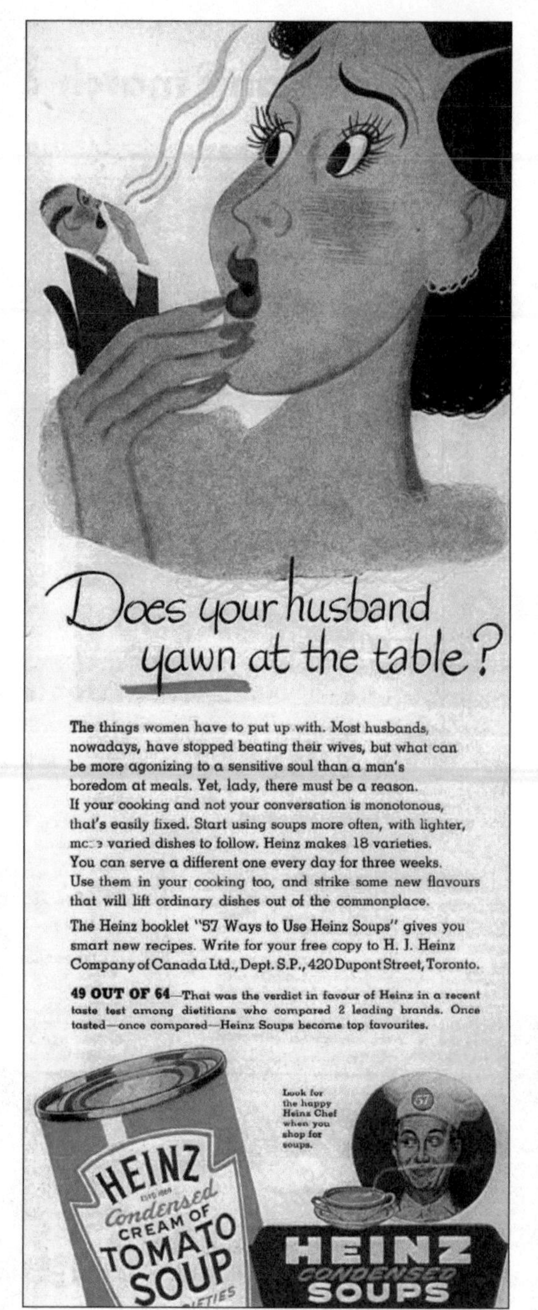
Does your husband yawn at the table?
The things women have to put up with. Most husbands, nowadays, have stopped beating their wives, but what can be more agonizing to a sensitive soul than a man's boredom at meals. Yet, lady, there must be a reason.
If your cooking and not your conversation is monotonous, that's easily fixed. Start using soups more often, with lighter, more varied dishes to follow. Heinz makes 18 varieties. You can serve a different one every day for three weeks. Use them in your cooking too, and strike some new flavours that will lift ordinary dishes out of the commonplace.
The Heinz booklet "57 Ways to Use Heinz Soups" gives you smart new recipes. Write for your free copy to H. J. Heinz Company of Canada Ltd., Dept. S.P., 420 Dupont Street, Toronto.
49 OUT OF 64—That was the verdict in favour of Heinz in a recent taste test among dietitians who compared 2 leading brands. Once tasted—once compared—Heinz Soups become top favourites.
Look for the happy Heinz Chef when you shop for soups.
HEINZ
Condensed
CREAM OF
TOMATO
SOUP
HEINZ
CONDENSED
SOUPS

Cela n'arrivera pas.

« J'étais sur le point de divorcer avec toi, Clémentine, car tu ne faisais pas un thé digne de ce nom. Mais ce délicieux breuvage me fait retomber amoureux de toi ! »

« Oh, quelle chance ! Je suis passée au thé Lipton, et ça m'a rendu mon mari ! »

Mais cela arrivera...

« Qu'il est bon ce thé ! Aurais-tu changé de marque ?

« Oui, j'ai voulu essayer Lipton. Il est meilleur, n'est-ce pas ?

Est-ce que votre mari bâille à table ?

Ah toutes ces choses que les femmes doivent supporter... De nos jours, la plupart des maris ne battent plus leur femme, mais qu'est-ce qu'il peut y avoir de plus douloureux pour un cœur sensible que de voir son mari s'ennuyer à table ?
Pourtant, femme, il doit bien y avoir une raison. Si le problème vient de votre nourriture, ça s'arrange facilement. Achetez Heinz, soupe de tomate.

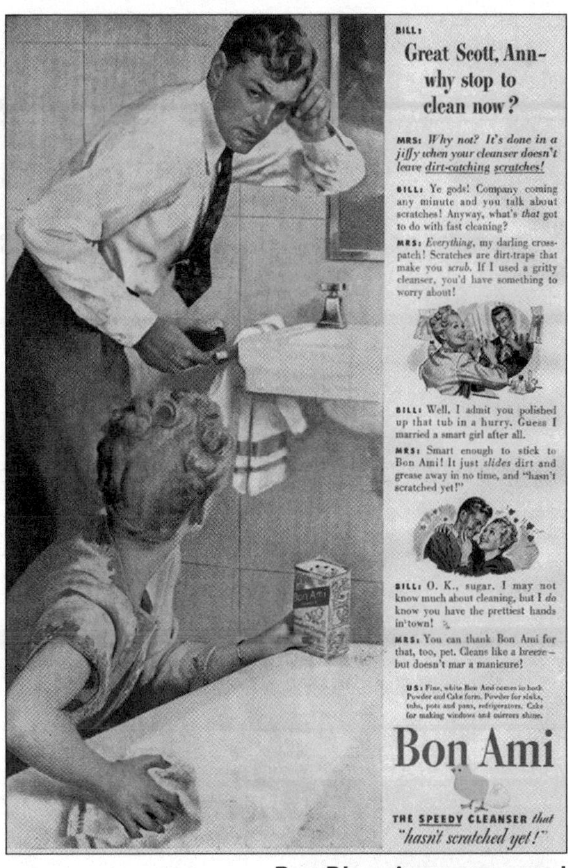
BILL:
Great Scott, Ann–why stop to clean now?
MRS: Why not? It's done in a jiffy when your cleanser doesn't leave dirt-catching scratches!
BILL: Ye gods! Company coming any minute and you talk about scratches! Anyway, what's that got to do with fast cleaning?
MRS: Everything, my darling cross-patch! Scratches are dirt-traps that make you scrub. If I used a gritty cleanser, you'd have something to worry about!
BILL: Well, I admit you polished up that tub in a hurry. Guess I married a smart girl after all.
MRS: Smart enough to stick to Bon Ami! It just slides dirt and grease away in no time, and "hasn't scratched yet!"
BILL: O. K., sugar. I may not know much about cleaning, but I do know you have the prettiest hands in town!
MRS: You can thank Bon Ami for that, too, pet. Cleans like a breeze–but doesn't mar a manicure!
US: Fine, white Bon Ami comes in both Powder and Cake form. Powder for sinks, tubs, pots and pans, refrigerators. Cake for making windows and mirrors shine.
Bon Ami
THE SPEEDY CLEANSER that "hasn't scratched yet!"

Bon Dieu, Anne, pourquoi arrêtes-tu de nettoyer ?

Pourquoi pas ? C'est fait en deux temps trois mouvements avec un nettoyant qui ne laisse pas de traces.
Sapristi ! Les invités arrivent incessamment sous peu et tu me parles de traces de saleté ? Quel est le rapport avec le fait de nettoyer vite ?
Ce genre de traces t'obligent à frotter, chéri.
J'admets que t'as nettoyé cette baignoire en un temps record. Faut croire que j'ai épousé une fille intelligente, après tout.
Assez intelligente en tout cas pour acheter du Bon Ami.

Does your husband come home to a companion... or a tired, tense housewife?
There's a new, relaxed you... when you cut your daily clean-up time to minutes with
REGINA Electrikbroom
This is the new kind of vacuum cleaner that also does the work of carpet sweeper, dust mop, upholstery brush, dust pan and broom—more thoroughly, and in less time! Designed especially for daily use, the Electrikbroom is extremely lightweight (only 6¾ lbs.), needs no attachments. Try unique, powerful Electrikbroom—it's the easy, minute-quick way to a company clean home every day. Ask your appliance dealer for a demonstration.
$49.95
SEND FOR FREE BOOKLET NOW
The Regina Corporation, 520 W. 7th Street, L. A. 14, Cal.
Name
Address
City Zone State
80

Quand votre mari rentre à la maison, trouve-t-il une compagne, ou une femme au foyer fatiguée ?

GET THE
POWER
THE POWER TO CLEAN ANYTHING.
STAINS · ODORS · GREASE · DIRT · GRIME · STAINS · ODORS · GREASE · DIRT · GRIME

Prenez le pouvoir. Le pouvoir de tout nettoyer.

DARN SPOTS! THEY'VE SENT TODD RUNNING (choke!) RIGHT INTO MARSHA'S ARMS!
IF YOU'VE GOT SPOTS, YOU NEED...
SUNLIGHT
POWDER OR LIQUID.
NOTHING GETS GLASSES MORE SPOTLESS!

Maudites traces ! Elles ont fait fuir Todd, qui est maintenant dans les bras de Marsha ! Sunlight/ Produit vaisselle.

OH, THESE SPOTS! THEY'RE DRIVING BUD AWAY!
MY ONLY HOPE IS NEW LIQUID SUNLIGHT!
NOW SUNLIGHT FOR DISHWASHERS COMES IN A LIQUID.
NO LIQUID GETS GLASSES MORE SPOTLESS

Ah ces traces ! Elles font fuir Bud.
Mon dernier espoir réside dans le nouveau produit vaisselle Sunlight.

◄ À l'origine, ce visuel d'une femme qui montre sa force comme un homme, très connu aux USA, était destiné à inciter les femmes à participer à l'effort de guerre. Les publicitaires l'ont détourné pour vendre une gamme de produits domestiques.

KAL KAN
BURGER ROUNDS
KAL KAN
BEEF LIVER
STEW
M.P.S. CHUNK
KIDNEY
HORSE MEAT

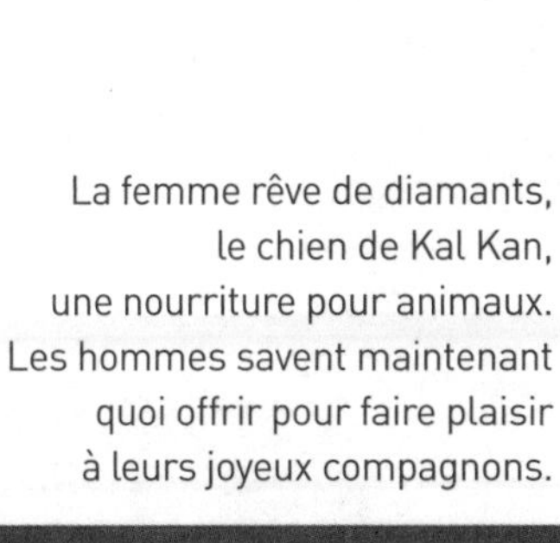

La femme rêve de diamants, le chien de Kal Kan, une nourriture pour animaux. Les hommes savent maintenant quoi offrir pour faire plaisir à leurs joyeux compagnons.

Moulinex
libère la femme !

De nouveaux horizons

Un entracte pour le milieu du livre : ce diaporama avec efficacité leur vie à la maison et leur vie profes gestion du temps, avec la chasse aux minutes

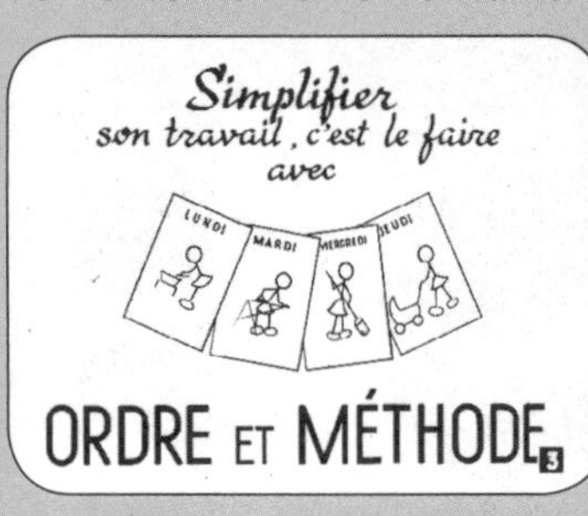
Simplifier
son travail, c'est le faire
avec
LUNDI
MARDI
MERCREDI
JEUDI
ORDRE ET MÉTHODE
3

9

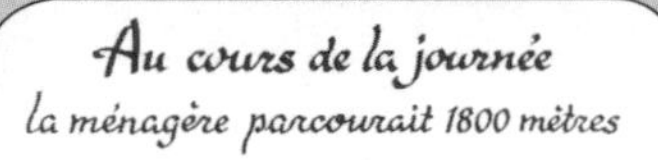
Au cours de la journée
la ménagère parcourait 1800 mètres
Après aménagement de la cuisine
elle ne parcourt plus que 570 mètres.
11

Gagner du temps
et moins se fatiguer
4

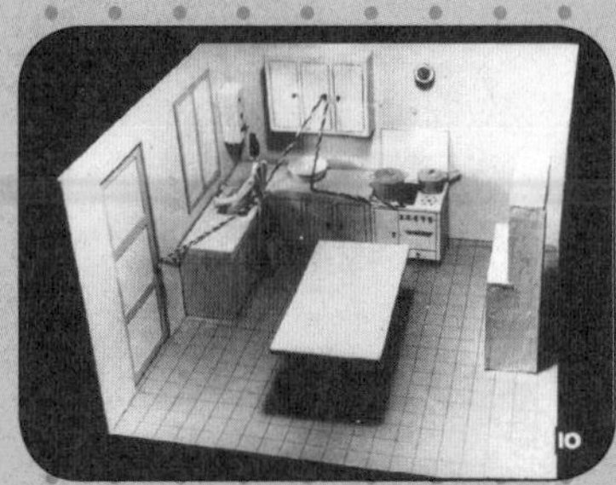
10

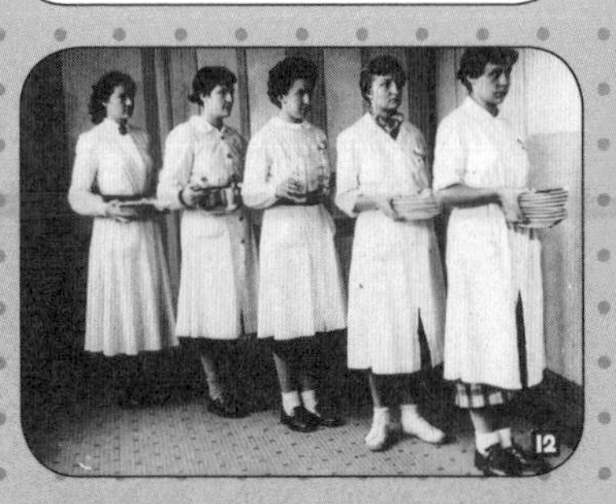
12

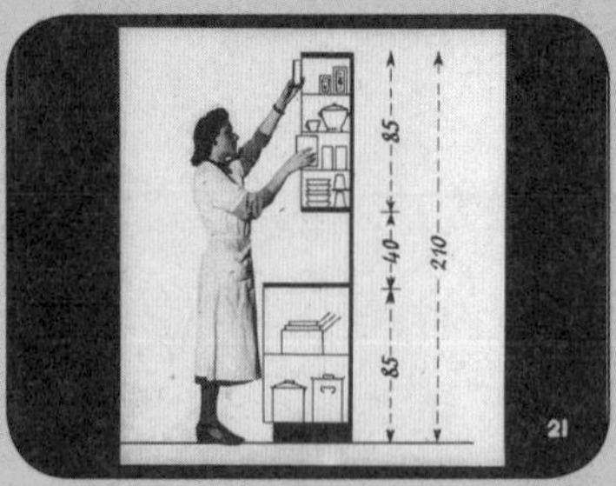
85
40
210
85
21

41

Regardez ces fillettes, photographiées
à l'école il y a dix ans.

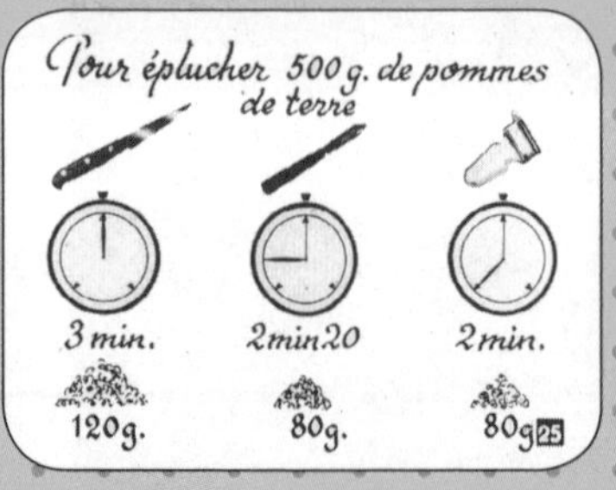
Pour éplucher 500 g. de pommes
de terre
3 min.
2min 20
2min.
120g.
80g.
80g
25

Faites travailler votre
tête...
... pour
ÉCONOMISER
vos bras
45

CERTAINES N'ONT PRESQUE PAS AVANCÉ,
ELLES SONT RESTÉES SANS QUALIFICATION

pour la ménagère

destiné aux jeunes femmes qui veulent marier
ionnelle. La clé du succès, c'est une bonne
aspillées. À vos montres, prêtes, partez !

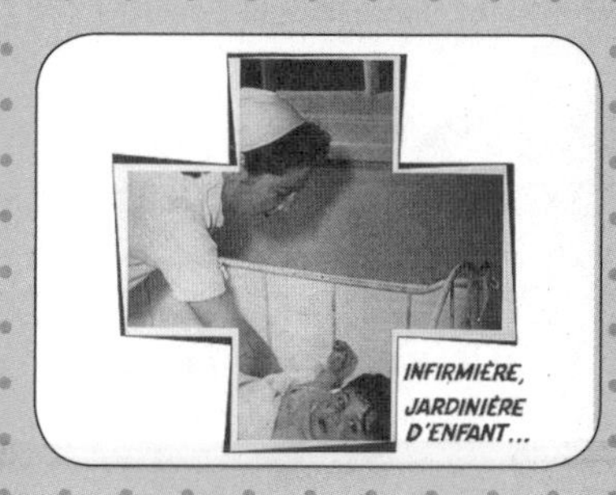
INFIRMIÈRE,
JARDINIÈRE
D'ENFANT...

STÉNO-DACTYLO...

EN VOUS PROMENANT DANS LA RUE
REMMAILLAGE
STOPPAGE

VENDEUSE

Ces résultats sont dus :
EFFORT... 90%
CHANCE OU...
MALCHANCE .10%

EN INTERROGEANT LES GENS DE MÉTIER

EN ASSISTANT
AUX PROJECTIONS
DE FILMS SUR
LES PROFESSIONS.

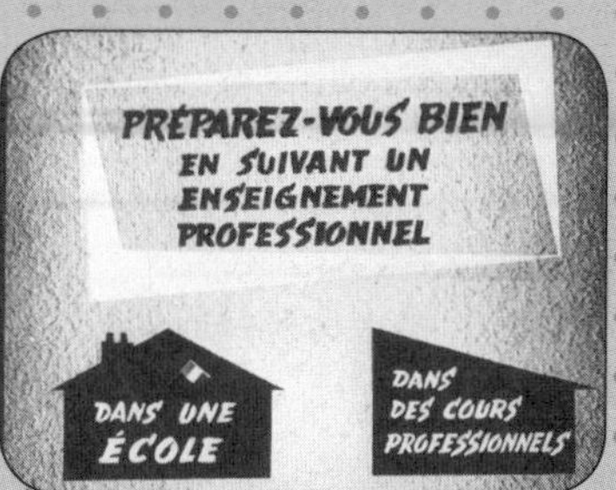
PRÉPAREZ-VOUS BIEN
EN SUIVANT UN
ENSEIGNEMENT
PROFESSIONNEL
DANS UNE
ÉCOLE
DANS
DES COURS
PROFESSIONNELS

VOUS SEREZ CERTAINE
D'ARRIVER AU BUT

Bon, maintenant que le ménage est fait, que la cuisine mijote, l'ultime question : êtes-vous toujours aussi séduisante pour l'homme qui vous a épousée ?

Une jolie poitrine*
en toutes circonstances !
Même en dévalant l'escalier ...elle reste à sa place !
Vous descendez quatre à quatre... Comment se comporte votre poitrine en pareille occasion? Cela dépend de votre soutien-gorge. Vos seins resteront bien maintenus, si vous portez un soutien-gorge LOU. Son armature - de forme exclusive - soutient parfaitement les seins parce qu'elle épouse leur contour. Les bonnets sont très enveloppants. Et voilà pourquoi vous êtes à l'aise. Mais, attention. Exigez le vrai LOU, Imitation-Déception.
Le soutien-gorge LOU existe en 4 modèles :
Satin simple, saumon, blanc et noir Frs 895
Série Gd luxe, satin doublé, 4 coloris 1345
Nylon 3 coloris 1565
LOU Dentelle, 3 coloris 1975
*pour ma ligne j'ai mon LOU
Vous trouvez les caoutchoucs de rechange chez tous les détaillants vendant le soutien-gorge LOU. Vente en gros : LOU - GRENOBLE.
YOU 5,000,000 WOMEN WHO WANT TO GET MARRIED.
How's Your Breath Today?
USE LISTERINE BEFORE ALL SOCIAL ENGAGEMENTS

Vous, les 5 millions de femmes qui voudraient se marier, comment est votre haleine aujourd'hui ? Utilisez Listerine avant chaque rencontre.

Most men ask "Is she pretty?" *not* "Is she clever?"

Freshness, Charm—the Enticement of a Skin *More Precious than Personality or Cleverness*—do you seek it? Then for One Week Follow this Simple Beauty Method which is Bringing it to Thousands

Often we marvel at her—the girl whose only asset is her beauty. She knows so little and says so little; yet serenely attracts everyone to her side. Too often her *clever* rival sits in a corner, alone.

* * *

Brains or beauty?—but why choose? *Combine* beauty with cleverness, charm with wisdom. Develop your beauty to bring out the sweetness of your personality. That's what thousands of girls have done—and found new happiness as a result.

The means are simple. Have a pretty skin—remember, *you can, if you try*. Costly beauty treatments are unnecessary—just daily use of palm and olive oils as embodied in Palmolive.

It is worth trying for this charm thousands have, the clear, fresh skin you want—do this one week, then note the change.

Use powder and rouge if you wish. But never leave them on over night. They clog the pores, often enlarge them. Blackheads and disfigurements often follow. They must be washed away.

Wash your face with soothing Palmolive. Then massage softly into the skin. Rinse thoroughly. Then repeat both washing and rinsing. Apply a touch of cold cream—that is all.

Do this regularly, and particularly in the evening.

The world's most simple beauty treatment

Thus, in a simple manner, millions since the days of Cleopatra have found beauty, charm and youth prolonged.

No medicaments are necessary. Just remove the day's accumulations of dirt and oil and perspiration, cleanse the pores, and Nature will be kind to you. Your skin will be of fine texture. Your color will be good. Wrinkles will not be your problem as the years advance.

Avoid this mistake

Do not use ordinary soaps in the treatment given above. Do not think any green soap, represented as made of palm and olive oils, is the same as Palmolive. Palmolive is a skin emollient in soap form.

And it costs but 10c the cake!—so little that millions let it do for their bodies what it does for their faces. Obtain a cake today. Then note what an amazing difference one week makes.

Palm and olive oils—nothing else—give nature's green color to Palmolive Soap.

Volume and efficiency produce 25c quality for only

10c

PALMOLIVE

Note carefully the name and wrapper. Palmolive Soap is never sold unwrapped

Copyright 1924—The Palmolive Co. 2367

La plupart des hommes se demandent : « Est-elle jolie ? » et non : « Est-elle intelligente ? »

On s'émerveille souvent sur elle. La fille qui n'a comme atout que la beauté. Elle ne connaît pas grand-chose, ne dit pas grand-chose ; et pourtant attire toujours l'attention. Souvent sa rivale intelligente est assise seule dans un coin. Pourquoi choisir entre la beauté et l'intelligence ?

Would your husband marry you again?
PALMOLIVE

Est-ce que votre mari vous épouserait à nouveau ?
Savon Palmolive.

A WIFE CAN BLAME
IF SHE LOSES LOVE
BY GETTING
"MIDDLE-AGE" SKIN
SHE LEARNED HER LESSON
AND, MOTHER, HE NEVER TAKES ME OUT ANY MORE! SOMETIMES I THINK HE'S ASHAMED OF ME!
DO YOU THINK IT COULD BE YOUR COMPLEXION, NELL? YOU USED TO HAVE SUCH A LOVELY SKIN, AND NOW...
YOU MEAN IT'S GROWN SO DRY AND LIFELESS! I KNOW IT, MOTHER, BUT WHAT CAN I DO?
YOU SEE, PALMOLIVE IS MADE WITH OLIVE AND PALM OILS, NATURE'S FINEST BEAUTY AIDS! THAT'S WHY IT'S SO GOOD FOR DRY, LIFELESS SKIN. ITS GENTLE, DIFFERENT LATHER CLEANSES SO THOROUGHLY, SOFTENS AND REFINES SKIN TEXTURE...LEAVES COMPLEXIONS RADIANT!
I'LL CERTAINLY TRY PALMOLIVE!
BOB'S SO PROUD OF ME AGAIN, SINCE I USE ONLY PALMOLIVE, THE SOAP MADE WITH OLIVE OIL TO KEEP SKIN SOFT, SMOOTH, YOUNG!
PALMOLIVE
DR. DAFOE SAYS. "ONLY GENTLE PALMOLIVE FOR THE

Une femme ne peut s'en prendre qu'à elle-même si elle se fait rejeter par son mari pour sa peau vieillissante.
« Bob est si fier de m'avoir à nouveau depuis que j'utilise Palmolive. »

When she introduced her husband and her ex-roommate, she suddenly knew she was...
The Injured Party
The party swirled around us. Suddenly, I saw Peggy Wilson across the room. I hadn't seen her since our senior year!
I caught her eye and waved. As Peggy inched her way toward us, I turned back to hear what George was saying. "You mean she was in your class?" he asked. "She sure looks younger!"
His words hit me like a slap in the face. How could my own husband say a thing like that?
But later, I saw it was true. Peggy did look younger than me. I couldn't help being jealous of her complexion. It was so fresh and creamy...so lovely. When we were alone, I just had to ask her, "Peggy, what makes your complexion so beautiful?"
"Simple," she said, "Palmolive care. It can help almost any girl be younger looking."
And Peggy was right. Palmolive care gave my complexion less oiliness, cleaner pores, fewer tiny blemishes. It made my skin fresher . . . helped me be younger looking.
I'm sure Palmolive care will help you, too. A one-minute massage with gentle Palmolive lather, twice a day. Try Palmolive, Green or Pink —soon. Palmolive care can help almost any woman be younger looking.

La partie plaignante.
Quand elle a fait rencontrer son mari et son ex-colocataire, elle s'est retrouvée être la moins belle parce que, contrairement à son amie, elle n'utilise pas Palmolive.

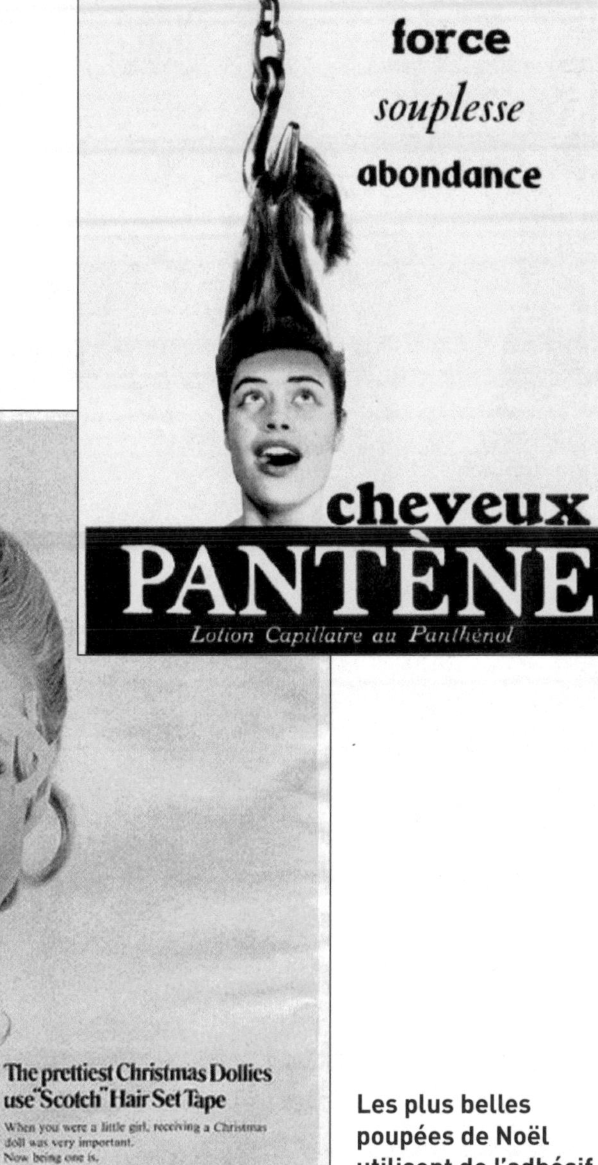
force
souplesse
abondance
cheveux
PANTÈNE
Lotion Capillaire au Panthénol
The prettiest Christmas Dollies use "Scotch" Hair Set Tape
When you were a little girl, receiving a Christmas doll was very important.
Now being one is.
And, being a doll can be child's play with "Scotch" Hair Set Tape. Because its flexibility lets you create gala holiday hair styles effortlessly.
"Scotch" Brand Hair Set Tape is porous which means your hair dries quickly.
And this soft, pink tape is kind to your hair *and* skin.
Be a doll this Christmas with "Scotch" Hair Set Tape.
3M

Les plus belles poupées de Noël utilisent de l'adhésif « Scotch » pour cheveux.
Quand vous étiez petite, vous attendiez vos poupées de Noël avec impatience. Maintenant vous pouvez en être une vous-même.

MADAME,
SANS LE SAVOIR
VOUS POUVEZ GÊNER
CEUX QUE
VOUS APPROCHEZ...
NOUVEAU !
Rexona, Savon Déodorant,
supprime tout risque d'odeur de transpiration

*C'est bien connu,
ce sont les femmes
qui ont des odeurs
de transpiration
qui gênent
les hommes.*

MADEMOISELLE,
SANS LE SAVOIR
VOUS POUVEZ GÊNER
CEUX QUE
VOUS APPROCHEZ...
NOUVEAU !
Rexona, Savon Déodorant,
supprime tout risque
d'odeur de transpiration

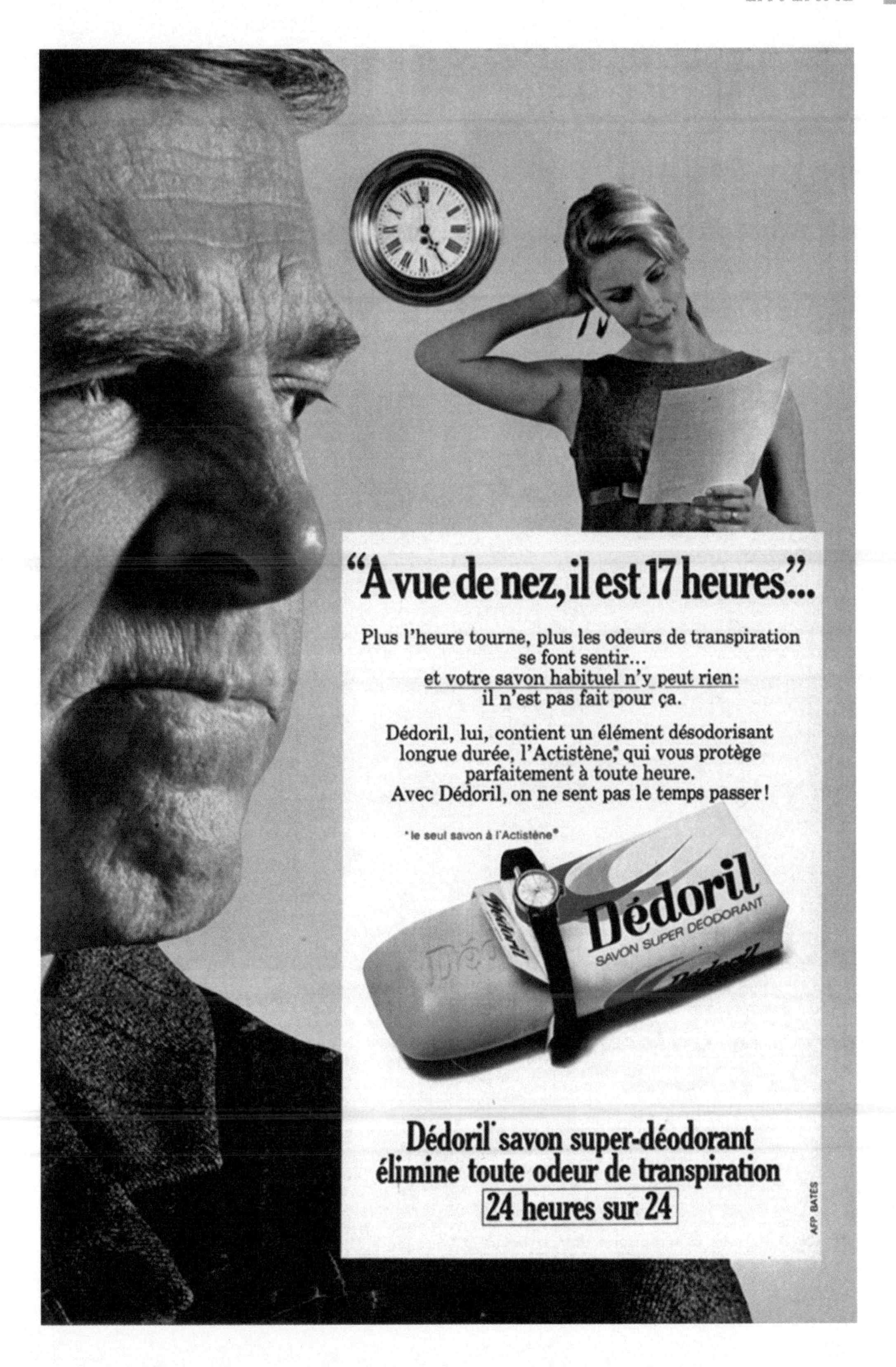
"A vue de nez, il est 17 heures"...
Plus l'heure tourne, plus les odeurs de transpiration se font sentir...
et votre savon habituel n'y peut rien: il n'est pas fait pour ça.
Dédoril, lui, contient un élément désodorisant longue durée, l'Actistène* qui vous protège parfaitement à toute heure.
Avec Dédoril, on ne sent pas le temps passer!
*le seul savon à l'Actistène®
Dédoril
SAVON SUPER DEODORANT
Dédoril® savon super-déodorant
élimine toute odeur de transpiration
24 heures sur 24
AFP BATES

How can he explain to his
sensitive young wife?
BUT, BILL, THIS WAS TO BE OUR QUIET EVENING AT HOME!
THERE ARE SOME THINGS A HUSBAND JUST CAN'T MENTION TO HIS WIFE!
THERE'S A WOMANLY OFFENSE—GREATER THAN BODY ODOR OR BAD BREATH!
NO OTHER TYPE LIQUID ANTISEPTIC-GERMICIDE TESTED FOR THE DOUCHE IS SO POWERFUL YET SAFE TO TISSUES
FREE! NEW!
Zonite
FOR NEWER
feminine hygiene

L'homme n'ose pas dire à sa femme pourquoi il ne veut pas passer la soirée avec elle. Zonite est un produit d'hygiène intime qui débarrasse des mauvaises odeurs.

Is a wife to blame
IF SHE DOESN'T KNOW—
these intimate physical facts?
FREE!
Zonite
FOR NEWER
feminine hygiene

Faut-il accuser sa femme de ne pas être au courant des mauvaises odeurs qu'elle dégage ?
Oui ! C'est clairement sa faute.
Zonite, hygiène intime.

MEN CAN'T FORGIVE
"FEMININE MEPHITIS"
FREE! "FEMININE HYGIENE TODAY"

Les hommes ne pardonnent pas à la « moufette ».
Votre mari ne vous le dira pas quand vous l'importunez avec votre odeur de moufette : cette odeur désobligeante dont on n'ose pas parler. Vous êtes coupable de cette négligence sans vous en rendre compte. Pourquoi risquer l'embarras ? Utilisez la poire Zonite pour faire fuir les mauvaises odeurs.

La culpabilisation, moteur de vente pour la toilette intime de la femme.

Elle peut avoir l'air propre, mais... ▶
Les prostituées et les filles faciles répandent la syphilis et la blennorragie. Vous ne pourrez pas vaincre les forces de l'axe si vous attrapez une MST.

SHE MAY LOOK CLEAN—BUT

PICK-UPS
"GOOD TIME" GIRLS
PROSTITUTES

SPREAD SYPHILIS AND GONORRHEA

You can't beat the Axis if you get VD

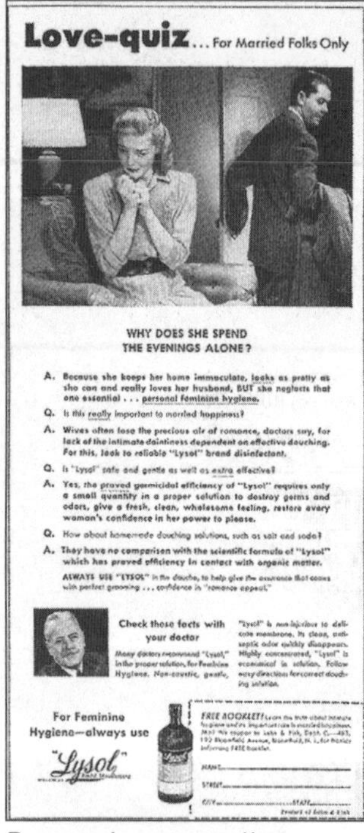
Love-quiz... For Married Folks Only
WHY DOES SHE SPEND THE EVENINGS ALONE?
Check these facts with your doctor
For Feminine Hygiene—always use
"Lysol"

Pourquoi passe-t-elle ses soirées seule ? Malgré l'entretien impeccable du foyer, le soin qu'elle porte à son apparence et tout l'amour qu'elle a pour son mari, elle néglige une chose essentielle… son hygiène intime.

That Other You Could Wreck Your Marriage!
Your married happiness depends on the real you... confident you, never doubting your intimate feminine hygiene. Don't risk becoming another you!
Preferred 3 to 1 over any other liquid preparation for Feminine Hygiene!
"Lysol"
A Concentrated Germ-Killer

Cet autre « vous » pourrait ruiner votre mariage ! (celle qui ne prend pas soin de son hygiène intime).

"PLEASE, DAVE..PLEASE DON'T LET ME BE LOCKED OUT FROM YOU!"
DOUBT
INHIBITIONS
IGNORANCE
Often a wife fails to realize that doubts due to one intimate neglect shut her out from happy married love
Germs destroyed swiftly
Use whenever needed!
For complete Feminine Hygiene rely on...
"Lysol"
A Concentrated Germ-Killer

« Par pitié, Dave, ne me laisse pas enfermée loin de toi ! »

« Prise dans la toile de l'indifférence… Mais je suis passée à travers ! » Mes problèmes d'hygiène intime ont failli briser mon mariage. Mais grâce à Lysol, Tom me considère de nouveau.

"Held in a web of indifference..."
"But I broke through it!"
Many doctors recommend "LYSOL" for Feminine Hygiene... for 6 reasons
For Feminine Hygiene use "Lysol" always!

Le style roman photo, des scènes vécues souvent dramatiques, tout ça pour chasser les mauvaises odeurs…

BANISH
THAT YAWN
··· bounce back to normal!

Arrêtez de bâiller grâce à Coca-Cola.

Sabrina
DEMONSTRATES
THE WORLD'S
FINEST
PROJECTION
EQUIPMENT
.... HER
BELL & HOWELL
HEADLINER
COLOUR SLIDE
PROJECTOR
HOTO DIGEST, June, 1959

Sabrina nous fait la démonstration du meilleur système de projection au monde...

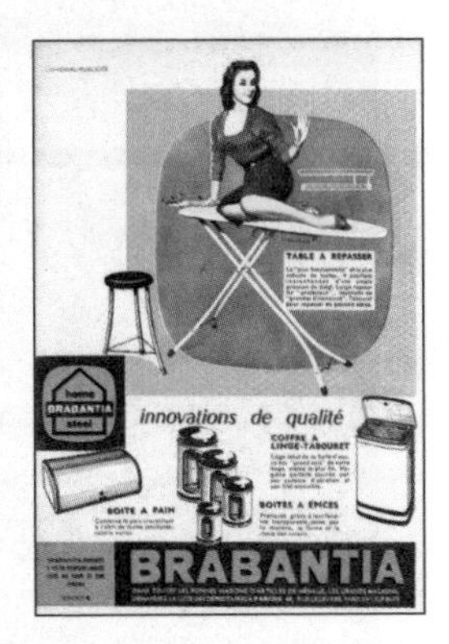
innovations de qualité
BRABANTIA

AMERICA'S
NO.1
GLAMOUR GAL!
These well-stacked Sno-Balls have more than sex appeal . . . they have sales appeal. Folks are buyin' 'em like crazy . . . put 'em on the counter and watch 'em disappear.
That's because Hostess is the creamed-filled dessert with "3-flavor magic"—Devil's Food Cake, Coconut, and Marshmallow.
And Hostess Sno-Ball advertising has more power than a 3-stage rocket. For TV alone there's the Annie Oakley Show . . . Howdy Doody and local shows for the kids plus plenty of spot announcements.
Make sure you ask your Hostess Cake Salesman for tie-in display material. And watch the kids and adults buy when they see those delicious Hostess Sno-Balls.
Continental Baking Company, Inc.
HOSTESS
SNO-BALLS

Affiche publicitaire pour des desserts à la crème.

Even rain can't hide that Microsheen shine!
Rain or shine—the man who struts with MICROSHEEN sparkle has real polish. That's because Griffin MICROSHEEN has more of everything. Costlier waxes. Rare conditioning-oils. Wonder-working silicones, too, for extra protection in wet weather. And at its modest cost, it's the little difference that makes the big difference in your grooming. So invest in popularity . . . invest in a can of Griffin MICROSHEEN today!
Black
Brown
Tan
Oxblood
GRIFFIN
MICROSHEEN
STAIN BOOT POLISH
Cordovan
Mahogany
Red
Blue
Neutral
GRIFFIN MICROSHEEN
STAIN BOOT POLISH

Même la pluie ne peut pas cacher la brillance de la cire Microsheen.

Une femme « en formes » peut vendre n'importe quoi, de la cire, des desserts, un projecteur, même du Coca qui empêche de bâiller !

TOUTES...

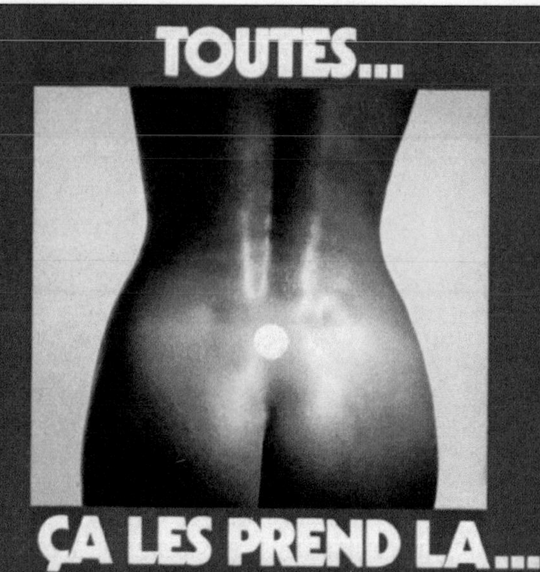

ÇA LES PREND LA...

Pour peu que vous ayez astucieusement enregistré sur votre magnétophone 20 minutes de diaboliques rythmes afro-cubains, et que, judicieusement, vous ayez juste après quelques slows démoniaques...

Pour peu que vous ayez dosé votre tuner avec juste assez de tweeter pour agacer et suffisamment de basses pour remuer le creux des reins...

Pour peu que vos baffles soient bien orientées pour saisir au cœur du problème...

Pour peu que...

Après, c'est à vous de jouer.

P.S. Si ça ne marche pas, téléphonez-nous, nous viendrons vous prouver qu'il n'y a pas mieux que Kenwood.

Même si vous n'êtes pas encore équipé uniquement en Kenwood - et vous savez que vous y viendrez un jour - vous trouverez, à coup sûr, le meilleur complément à votre installation actuelle, et, bien entendu, toute une gamme de chaînes de qualité inégalable pour votre complète satisfaction.

☐ Je désire recevoir votre documentation gratuite sur la gamme Kenwood.

Nom

Adresse

Profession

☐ Je désire recevoir l'adresse du revendeur spécialisé Kenwood le plus proche de mon domicile.

Veuillez remplir ce formulaire et l'adresser à Oraco/Jason - 117, rue d'Aguesseau - 92100 Boulogne
Tél. 604.10.50 - Télex 20740.

Vous recevrez une très belle documentation comportant tous les renseignements techniques et les prix des produits Kenwood.

KENWOOD

La Haute Fidélité Intégrale

Jason 117, rue d'Aguesseau - Boulogne-Billancourt - Tél. 603.37.30/604.10.50

Quand elle n'est pas
ménagère, la femme
est faible, et comme
toute ravissante idiote,
est aux pieds des vrais
hommes qui savent manier
le MACHISME en
arme de séduction
fatale…

BEER

"Stuffed" Girl's Heads!
only $2.98
Conquest

Blondes, redheads and brunettes for every man to boast of his conquests . . . the first realistic likeness of the exciting women who play an important part in every man's life . . . and one of the nicest qualities is that they don't talk back! Accurately modelled to three-quarters life size of real gals and molded of skin-textured pliable plastic, these heads are so life-like they almost breathe. Saucy glittering eyes, full sensuous mouth and liquid satin complexion, combined with radiant hair colors give astonishing realism to these rare and unique Trophies. Blonds, redhead or brunette mounted on a genuine mahogany plaque is complete and ready to hang on the wall for excitement and conversation. Only $2.98 plus 37¢ shipping charges. Full Money Back Guarantee. Specify Blonde, Brunette or Redhead. Send Cash, Check, or Money Order, or order C.O.D. from:

Honor House Products Corp.
Lynbrook, New York
Dept. MT-18

Des têtes de femme empaillées ! Pour deux dollars seulement !
Des blondes, des rousses et des brunes pour que chaque homme puisse se vanter de ses conquêtes... Des reproductions réalistes de femmes qui ont joué un rôle important dans la vie de chaque homme. Et en plus, celles-là, elles ne parlent pas !

The Chef
does everything
but cook
– that's what
wives are for!
I'm giving my wife a
Kenwood Chef

Le « Chef » fait tout sauf cuisiner. C'est à ça que servent les femmes !

« Seul un homme pourrait lancer l'idée que le bonheur d'une femme consiste à servir et à plaire à un homme. »

Margaret Fuller

Is it always illegal
TO KILL A WOMAN?
For six months I bend the ears of the home office to get a postage meter. I win . . . Then the only good, fast, dependable, honest-to-Gregg stenographer I got, this redhead Morissey—balks at a postage meter!
"I have no mechanical aptitude. Machines mix me up, kind of," she says. As if we asked her to fly a P-80. I almost blow my top.
This postage meter, I explain, is modern, more efficient, a time saver . . . No more adhesive stamps. No stamp box, and who's got the key? No running out of the stamps you need. No scrounging. No stamp sticking. Just set the lever for any kind of stamp you want, for any kind of mail, and the meter prints the stamp right on the envelope with a dated postmark —and it seals the flap at the same time. Faster than mailing by hand. Prints stamps on tape for parcel post. Will handle anything we have to mail out of this office. Even keeps its own records!
And metered mail doesn't have to be postmarked and cancelled in the postoffice, gets going earlier. It is practically heaven's gift to the working girl . . . and so on. But with the Morissey, no soap.
I try diplomacy. "Miss Morissey, I want you person'lly to try it for two weeks. If you don't like it then—back it goes to the factory! I depend on your judgment implicitly. Okay?" . . . She acts like an early Christian about to be lunch for a lion, but gives in.
So help me—two weeks later she has a big pink bow on the handle of the postage meter—like it was an orchid or something. I give it the gape.
"Kinda cute, ain't it," says Miss Morissey. "But a very efficient machine, Mr. Jones. Now the mail is out early enough so I get to the girls' room in time to hear all of the dirt" . . . I wonder is it always illegal to kill a woman!
We are always learning some new advantages of the postage meter. If you'd like to learn what one could do for your office, call the nearest Pitney-Bowes office. Or write for an illustrated booklet.
PITNEY-BOWES Postage Meter
PITNEY-BOWES, Inc., 1125 Pacific Street, Stamford, Conn. Originators of Metered Mail. Largest makers of mailing machines. Branches in 63 cities in the United States and Canada

Est-il toujours illégal de tuer une femme ?

Ça fait six mois que j'essaye de convaincre ma secrétaire d'utiliser la nouvelle machine à imprimer des timbres, pour gagner du temps, et celle-ci me rétorque qu'elle n'a aucune compétence à utiliser des machines. J'essaye la diplomatie en lui expliquant que c'est facile à utiliser, que ça lui fera gagner du temps. Elle réagit tel un des premiers chrétiens donné en pâture aux lions, mais consent finalement à essayer. Deux semaines plus tard je remarque qu'elle a attaché un gros ruban rose autour de la machine comme si c'était des orchidées. « Ne trouvez-vous pas ça mignon », me dit-elle, « c'est malgré tout une machine efficace ! » « Maintenant que le courrier est envoyé plus rapidement, j'ai tout le temps d'aller écouter les ragots dans les toilettes des filles. » Je me demande si des fois on n'aurait pas le droit de tuer une femme ?

You mean a woman can open it ?
Easily—without a knife blade, a bottle opener, or even a husband! All it takes is a dainty grasp, an easy, two-finger twist—and the catsup is ready to pour.
We call this safe-sealing bottle cap the Alcoa HyTop. It is made of pure, food-loving Alcoa Aluminum. It spins off—and back on again—without muscle power because an exclusive Alcoa process tailors it to each bottle's threads after it is on the bottle. By vacuum sealing both top and sides, the HyTop gives purity a double guard.
You'll recognize the attractive, tractable HyTop when you see it on your grocer's shelf. It's long, it's white, it's grooved—and it's on the most famous and flavorful brands. Put the bottle that wears it in your basket . . . save fumbling, fuming and fingers at opening time with the most cooperative cap in the world—the Alcoa HyTop Closure.

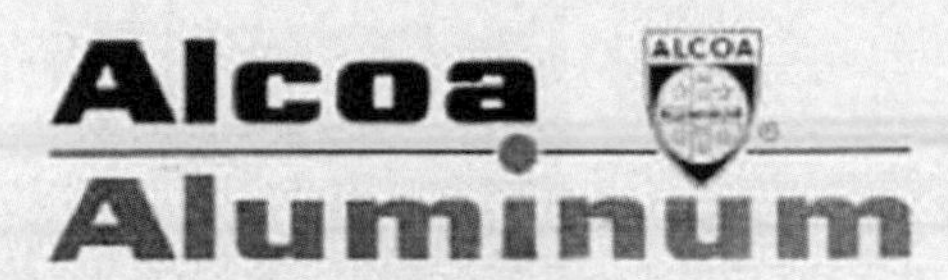

Alcoa
ALCOA
Aluminum
ALUMINUM COMPANY OF AMERICA
Pittsburgh, Pa

Vous voulez dire qu'une femme peut l'ouvrir ?

Oui, facilement. Sans couteau, sans ouvre-boîte, et même sans mari !

Elles sont sottes, incapables, battues, dressées en quelque sorte à rester à leur place, aux pieds et au service de l'homme.

THIS IS A COMPUTER?
YOU BET YOUR SWEET TELEX OPERATOR IT IS!
DATACOMP

Sur cette affiche, une ravissante idiote demande si cet appareil est bien un ordinateur.

MAN BEATS WIFE
With Betty Crocker Cake Mix, amateur bakes better cake than experienced homemaker using best two-egg recipe
"Betty Crocker PartyCake Mix gets my vote, too, for quick, fluffy cakes," said Mr. McNaughton when the judges voted his Betty Crocker Cake best! "My wife used a standard two-egg recipe," he said. "I used Betty Crocker PartyCake Mix. The big difference is in the tasting."
Mr. and Mrs. William G. McNaughton, Jr. of Ozone Park, New York.
PEACH PUFFS made with Betty Crocker PartyCake Mix. Recipe in new Betty Crocker CAKE MIX MAGIC booklet... yours for 25¢ and top from any Betty Crocker Cake Mix package. Send to: General Mills, Box 750, Minneapolis, Minnesota.
Betty Crocker
Party Cake mix
get larger, lighter more luscious cakes from Betty Crocker Mixes
They're Favorite Betty Crocker Recipes measured out for you!
Premium Quality Ingredients Only go into these mixes!
You Add The Eggs to PartyCake Mix and Devils Food Cake Mix, because Betty Crocker knows FRESH EGGS mean better cakes most consistently.
Betty Crocker
Devils Food Cake mix
Makes a rich, dark, moist cake—full of chocolatey flavor!
Betty Crocker
Ginger Cake and Cooky mix
For GingerCake that's cake luscious. Just add water, mix and bake!
Compare cake mix packages at your grocer's. Betty Crocker PartyCake Mix and Devils Food Cake Mix give you more mix than most other leading brands. This means BIGGER CAKES!
General Mills
try all three
BETTY CROCKER CAKE MIXES
74

Un homme bat sa femme.
Grâce à la préparation pour gâteaux Betty Crocker, un simple amateur fait un meilleur gâteau que sa femme.

it's daring

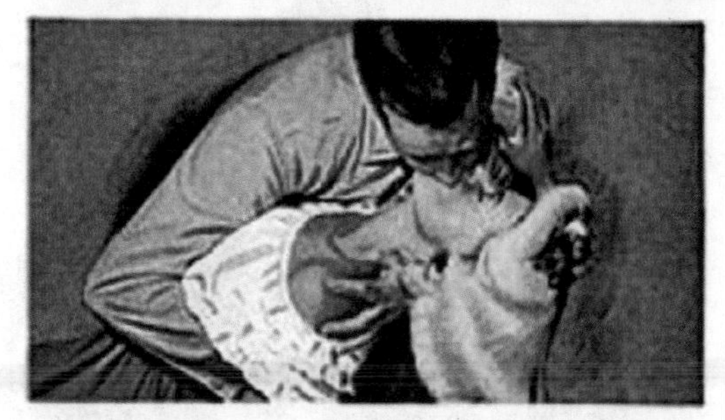
it's audacious
it's the bolder look
in
shirts
Van Heusen shirts
the world's smartest

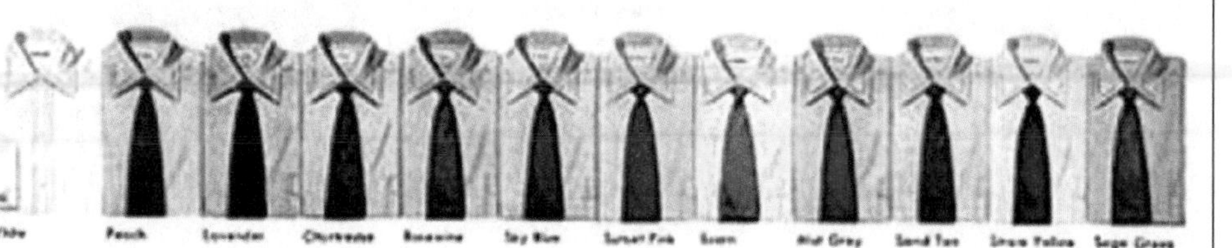

C'est osé. C'est audacieux. C'est un style bien culotté pour des chemises.

If your husband ever finds out
you're not "store-testing" for fresher coffee...
...if he discovers you're still taking chances on getting flat, stale coffee ...woe be unto you! For today there's a sure and certain way to test for freshness before you buy
Here's how easy it is to be sure of fresher coffee
Just do this:
No other can lets you test!
Here's the payoff!

Chase & Sanborn
COFFEE
"PRESSURE PACKED"
Chase & Sanborn

Ce message indique aux femmes que ça va mal se passer pour elles si leurs maris découvrent qu'elles ne testent pas le café avant de l'acheter.

"Us Tareyton smokers would rather fight than switch!"

Join the Unswitchables.
Get the filter cigarette with the taste worth fighting for!
Tareyton has a white outer tip
...and an inner section of charcoal.
Together, they actually improve
the flavor of Tareyton's fine tobaccos.
Tareyton

Tareyton

Nous, les fumeuses de Tareyton, préférons nous battre plutôt que de changer de marque de cigarettes.

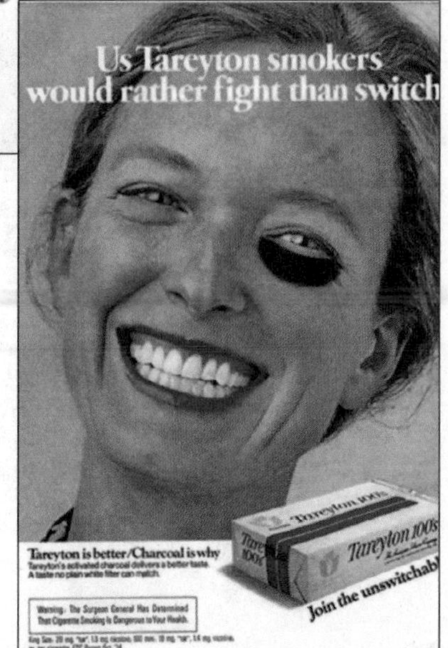
Us Tareyton smokers
would rather fight than switch
Tareyton is better/Charcoal is why
Tareyton 100's
Join the unswitchabl

DO YOU
STILL
BEAT
YOUR
WIFE?
Maybe you should never have stopped. Read why in the rollicking, provocative, yet educational booklet entitled, "Why You Should Beat Your Wife", written by an eminent practitioner of this manly art. Send 15c in stamps or coin to
CO-LE SALES COMPANY
538 W. Deming Place, Chicago 14, Illinois

Est-ce que vous battez toujours votre femme ?

Vous n'auriez peut-être jamais dû arrêter. Découvrez pourquoi dans ce livre provocateur mais éducatif : « Pourquoi faut-il battre sa femme ? » écrit par un éminent praticien de cet art viril.

Montre-lui que c'est un monde d'hommes.
Un monde pour homme. Uniquement pour les hommes. De tout nouveaux motifs virils qui lui font comprendre que c'est un monde fait pour les hommes… Et elle s'en réjouira.

show her
it's a man's world
Van Heusen
man's world
ties
For men only! . . . brand new man-talking, power-packed patterns that tell her it's a man's world . . . and make her so happy it is. And man! . . .

La femme est envoûtée par le mâle dominant qui affiche cravates, cigares ou pantalons infroissables comme autant d'attributs virils.

A cigar brings out the Caveman in you
There's a man-size feeling of power in smoking a cigar. Because cigars give you a psychological lift along with flavor and satisfaction. Yet you needn't inhale to enjoy them . . . and no other pleasure so great costs so little. Try a few cigars today and . . . Get that good cigar feeling!

Un cigare révèle l'homme des cavernes qui est en vous.
Il y a un certain sentiment de pouvoir qui se dégage chez un homme qui fume le cigare.

Keep her where
she belongs...

Garde-la à sa place...

Chaque chose à sa place, une place pour chaque chose. Rangez donc votre femme dans le placard à chaussures.

The game is
Ring around Rosie. Or Carol. Or Eleanor, etc. Fun. But you can only play if you wear Broomsticks slacks. Hopsacks, twists, twills, flannels in blends of Acrilan® and rayon for permanently pressed good looks. Play styles. Game colors. To help make you a winner. But if you don't want to play our way—take off our pants and go home.
BROOMSTICKS
PLAY PRICE: $10. SLACKS BY GLEN OAKS, 16 EAST 34 STREET, NEW YORK CITY

Encerclez Rosie. Ou Carole. Ou Éléanore, etc. Amusant ! Mais vous ne pouvez le faire qu'avec les pantalons Broomsticks.

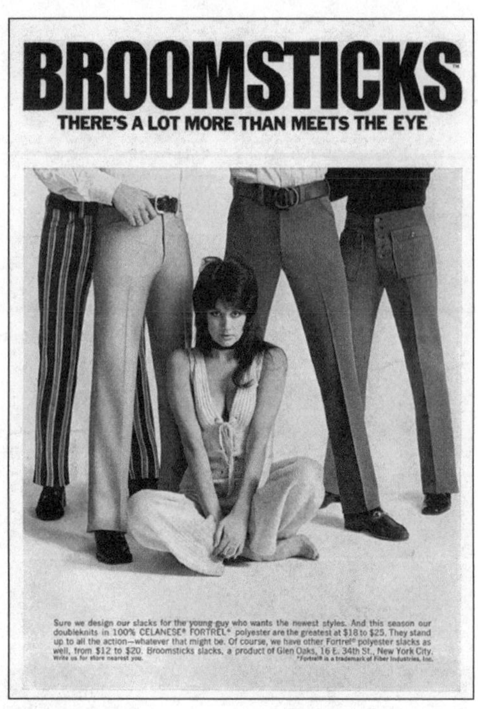
BROOMSTICKS
THERE'S A LOT MORE THAN MEETS THE EYE
Sure we design our slacks for the young guy who wants the newest styles. And this season our doubleknits in 100% CELANESE* FORTREL* polyester are the greatest at $18 to $25. They stand up to all the action—whatever that might be. Of course, we have other Fortrel* polyester slacks as well, from $12 to $20. Broomsticks slacks, a product of Glen Oaks, 16 E. 34th St., New York City.
Write us for store nearest you.
*Fortrel® is a trademark of Fiber Industries, Inc.

Ne vous fiez pas aux apparences.
Nos pantalons sont branchés,
mais bon marché.

The game is
CHECKERS. Make the right jump and you're king. But if you don't want to play our way...take off our pants and go home.
BROOMSTICKS

Joueurs de dames. Faites le bon coup, et vous serez roi. Mais si vous ne voulez pas suivre nos règles... enlevez vos pantalons et rentrez chez vous.

The game is
BROOMSTICKS

Envoyez le bon signal et vous gagnerez. Paula, ou Jean. Mais si vous ne voulez pas suivre nos règles... enlevez votre pantalon et rentrez chez vous.

It's nice to have a girl around the house.
Though she was a tiger lady, our hero didn't have to fire a shot to floor her. After one look at his Mr. Leggs slacks, she was ready to have him walk all over her. That noble styling sure soothes the savage heart! If you'd like your own doll-to-doll carpeting, hunt up a pair of these he-man Mr. Leggs slacks. Such as our new automatic wash-wear blend of 65% "Dacron*" and 35% rayon—incomparably wrinkle-resistant. About $12.95 at plush-carpeted stores.
Dacron
Mr. Leggs
THOMSON COMPANY,

C'est chouette d'avoir une fille à la maison.

Bien qu'elle soit une tigresse, notre héros n'a pas eu besoin de lui tirer dessus pour la mettre à terre. Après avoir jeté un regard sur son pantalon « Mr.Leggs », elle était consentante pour se faire marcher dessus.

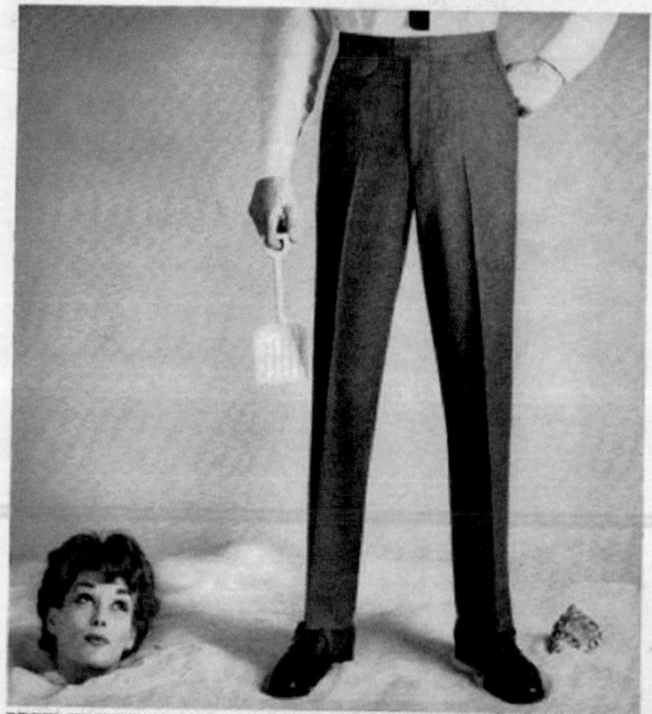
A display of affection is great . . . but enough is enough. She couldn't keep her hands off him. Always the little hugs, the pats on the cheek. Sly pinches. It could drive a man to the license bureau. It all began when he wore his first pair of Mr. Leggs Slacks, tailored by Thomson. But he kept his head; now everything's under control. Why don't you try a pair of Mr. Leggs . . . and get ready to dig. Pure wool worsted flannel, $14.95 at better stores.
Get yourself a new pair of Mr. Leggs
Good thing he kept his head.
FREE!

Heureusement qu'il a gardé la tête sur les épaules.

Les marques d'affection sont une chose... mais là c'en est trop. Elle ne peut pas s'empêcher de le toucher, le câliner, lui faire des bisous sur la joue, ou des pincements coquins. Ça pourrait facilement mener un homme au mariage. Et tout ça a commencé lorsqu'il a porté son premier pantalon Leggs. Heureusement qu'il a gardé la tête sur les épaules, et qu'il contrôle la situation.

no matter how strenuous the action...
HARRIS DACRON® SLACKS ARE PRESSED FOR LIFE!
HARRIS SLACKS
Yes, the (Pressed for Life) finish on your Harris Slacks will keep them neat and natural at all times . . . no matter how strenuous the "action" . . . The easy-care fabric, of course, is 65% DACRON® polyester and 35% combed cotton, a power-packed combination for durability and good looks. Popularly priced from 7.00 - 10.00 at leading men's and boys' stores.
HARRIS SLACKS, 110 WEST 11TH STREET, LOS ANGELES, CALIFORNIA

Quelle que soit l'intensité de l'action...

Les pantalons Harris DACRON sont repassés pour la vie !

men are better than women! Indoors, women are useful — even pleasant.
On a mountain they are something of a drag. So don't go hauling them up a cliff just to show off your
Drummond climbing sweaters. No need to. These pullovers look great anywhere. On the level! Entirely
hand fashioned of the purest, warmest worsted in a bold, clear shaker stitch. Genuine bone buttons.
Sizes: S-M-L-XL. Left, Joring. Low button pullover with harness shawl collar that closes up to neck.
Set-in pocket. They come no finer! In brass, white, olive, gray, $25. Right, Norfolk. An entirely new
approach to sweater-making. Belted — attention getting — quite magnificent. In brass, olive, black, $25.
DRUMMOND
Sweaters

Les hommes sont meilleurs que les femmes !

À l'intérieur, les femmes sont utiles – voire agréables. En montagne, elles sont plutôt un boulet. Pas besoin de les hisser en haut d'une falaise pour leur montrer vos pulls Drummond. Ils vous iront bien où que vous soyez.

Get what you've always wanted
the great grooming action
of a hair cream from a liquid.
If you haven't been getting all you want from a liquid hair groom, get new Score Liquid. Gives you the great grooming action of a cream. That's because new clear Score Liquid is made by the men who make clear Score Hair Cream. So you get great grooming action. And you also get Score's famous greaseless look, Score's famous masculine scent.
Score Liquid Hair Groom
Score—Three Ways. Hair Cream. Spray Deodorant. Liquid Hair Groom.
SCORE
©1967 Bristol-Myers Co.

Obtenez ce que vous avez toujours voulu.
Les mêmes effets qu'une crème capillaire sous forme de liquide.

L'effet James Bond période Sean Connery : votre style baroudeur gominé vous fera porter en triomphe par des femmes conquises qui se frotteront nues contre votre pyjama en soie synthétique.

Crimplene

the brightest jewel of all can be your lips...
Tangee's newest lipstick shade—BRIGHT 'N CLEAR is the brightest, clearest, most dazzling red on record. It is exactly the color and lipstick America's leading beauty authorities say smart women should wear. And—exciting miracle!—here is an indelible-type lipstick that actually stays BRIGHT 'N CLEAR for hours and hours. It will not dry your lips...will not go dull and lifeless even after blotting. So start your BRIGHT 'N CLEAR future today!
Tangee PRESENTS
"BRIGHT 'N CLEAR"
a new shade...a true shade...a just-right-for-you shade!

Le bijou le plus brillant
peut être vos lèvres.
Les professionnels de la beauté
disent que c'est le rouge à lèvres que
les femmes élégantes devraient porter.

J.M. - PHOTO BONUTTO
Jocelyn
PARIS
Noblesse du Cuir
• 134, boulevard saint-germain, 75006 paris, 033 44 10
• 5, rue du cherche-midi, 75006 paris, 548 75 47
• Hops, 3, rue de l'anc. comédie, 75006 paris, 326 48 62
• 76-78, avenue des champs-élysées (arcades des champs-élysées)
et 59, rue de ponthieu, 75008 paris, 225 36 33

Les hommes
sont assis,
les femmes
sont par terre,
la tradition
est respectée.

Amplement arrosée de Perrier, sa séduction pétille en mille bulles.
Elles le disent toutes : les Apollon les fatiguent. Pour les remuer au plus profond d'elles-mêmes, il faut ce poids aigu du regard qui leur prouve qu'elles existent, ce brio du discours qui les rend intelligentes rien qu'à l'écouter. Il a trouvé tout cela dans son verre de Perrier : l'eau et les bulles s'y allient pour lui offrir leur légèreté et leur esprit. Dans son verre d'eau Perrier toute pure ? Ou l'a-t-il marié à quelque alcool ? Tous les goûts sont dans la nature, quand il s'agit de Perrier (minérale, gazeuse, naturelle).

Pendant ce temps-là, à Kronenbourg, une jeune femme est enfermée dans le noir.

A Kronenbourg, quand la bière est brassée, on ne se contente pas de la mettre en fûts ou en bouteilles.

On en prend un peu, on remplit une petite bouteille et on l'enferme dans le noir.

Cela s'appelle un échantillon-témoin ; tous les jours, on l'examine, pour voir s'il arrive quelque chose à sa couleur, à sa brillance.

Il n'arrive rien. Et pourtant on continue à contrôler. Les brasseurs de Kronenbourg ne sont jamais fatigués de contrôler.

Il y a le contrôle-houblonnage et le contrôle-filtration et le contrôle-fermentation et le contrôle-soutirage.

Plus tous les autres. Plus l'échantillon-témoin et la chambre noire de la fin.

Ce n'est pas drôle. Mais c'est le métier. Les brasseurs brassent. Les buveurs boivent.

Et la bière est bonne. **Kronenbourg**

Pour voir comment se fait la Kronenbourg et visiter la Brasserie, appelez Madame Thomas, Brasserie de Kronenbourg, 67-Strasbourg. Tél. : 30.03.36

SA NIECE
SA PIPE
SON EAU DE TOILETTE
GREEN WATER EAU DE TOILETTE Jacques Fath
Quel est l'oncle de cette nièce?... le fumeur de cette pipe?
C'est un homme heureux, mais exigeant, jusque dans le choix de son eau de toilette. Il a voulu Green Water*, l'eau de toilette verte de Jacques FATH.
GREEN WATER

Une femme, une pipe, un pull. La pub, c'est pour un pull Paul Fourticq, une marque disparue aujourd'hui, allez savoir pourquoi. Un sommet de créativité qui fit son petit effet à sa sortie. A tel point qu'une grande agence la parodiera sur une page d'un magazine de communication. Mais le coup de la pipe n'en était pas à son coup d'essai, il y avait des précédents, plus soft, pour un projecteur diapos et pour une eau de toilette. Quand une idée elle est bonne, il faut savoir décliner.

ma pipe, mon cheval, ma femme...
et mon PRESTINOX (projecteur 4x4 et 24x36)
PRESTINOX 2 - N 24
PRESTINOX 2 - N 12
PRESTINOX 2 LUXE
* PRESTIMATIC passe-vues sans panier adaptable instantanément sur les modèles PRESTINOX 2
CLASSINOX : papier classeur 36 vues - prix maxi 6 F.
... la projection c'est l'affaire de PRESTINOX
vente et documentation chez votre photographe habituel

UN HOMME, UNE SUCETTE, UN PULL
Merci d'accompagner la publicité depuis 40 ans
Bon anniversaire à Stratégies
australie

UNE FEMME, UNE PIPE, UN PULL.
jersey paul fourticq
pour l'homme. et lui seul
pulls, cardigan, gilets, chemises...

eram
Aucun corps de femme n'a été exploité dans cette publicité.
399F Alexandre Matthieu pour eram

Le machisme dans la pub,
c'est comme la harissa dans le couscous :
s'il y en a trop, cela finit par devenir
immangeable. Laissons donc faire
aux créatifs leur mea culpa avec
Eram et passons au sujet suivant.

Où l'on voit
que l'HOMME
aime beaucoup se
promener partout
en slip et montrer
ses abdominaux
symboles de
sa virilité...

Hommes, trouvez votre style groovy de la mort : Star Trek, mafioso, gominé, tonton flingueur, ou chemise transparente qui laisse voir votre jolie poitrine velue ?

Plaire,
n'est-ce point d'abord se plaire
sans ostentation ni vanité ?
Est-ce autre chose
qu'être sûr de soi, c'est-à-dire à l'aise,
dans des vêtements souples,
jeunes, bien coupés, faits à soi,
des vêtements Bril en somme ?
Bril
en vente chez les dépositaires de la marque Bril
Liste sur simple demande : 25, rue du Renard, Paris 4e

Things happen when you wear
ELEGANZA!
The boldest collection of dashing apparel and dramatic imported footwear anywhere.
MAIL COUPON TODAY FOR EXCITING NEW
FREE CATALOG
SHIRTS - SLACKS - SUITS - IMPORTED FOOTWEAR
Eleganza

Vous n'imaginez pas ce qui peut se passer quand on porte ELEGANZA !

tyms
LE RASOIR QUI CLASSE L'HOMME
POUR VOUS
impeccable pour le rasage de la barbe
extraordinaire pour la coupe des pattes
spécial pour la taille des moustaches
PARTOUT
modèle 110/220 volts .... chez vous etc...
modèle 6/ 12 volts .... pour la voiture etc...
2 modèles
UN BUT !
VOUS RASER MIEUX !
Si vous ne trouvez pas tyms chez votre revendeur, adressez-vous à :
Production DATYM S.A.
11, rue de l'Orillon, Paris-XIe
OBE. 55-56
SEIC

chaque jour coiffez-vous
Pento

la chemise d'homme
qu'une femme aime toucher
DIAMANT'S
HABILLEMENT DE LUXE S.A.
CH - 6828 BALERNA SIEGE SOCIAL TEL. (091) 43.33.21 - TELEX : 79 949
Ch - 8004 Zurich Swiss Fashion House 3a - 2ème ét. - Badenerstrasse 120 - Tél. (01) 23.23.30
F - 75008 Paris - 65/67 Rue du Faubourg St Honoré - Tél. 266.61.72
New York / N.Y. 10001 - Richman International Inc. - 350 Fifth Av. - 76 Th Floor Empire State Building
Tél. (212) 564.94.30 - Télex : 42.64.26 Lark UI

brun sauvage Eminence
Et il y a cinq autres imprimés... En vente dans 103 pays.
Chemisiers/grands magasins.

L'homme est maintenant fier d'exhiber son slip, l'ancien monde vacille.

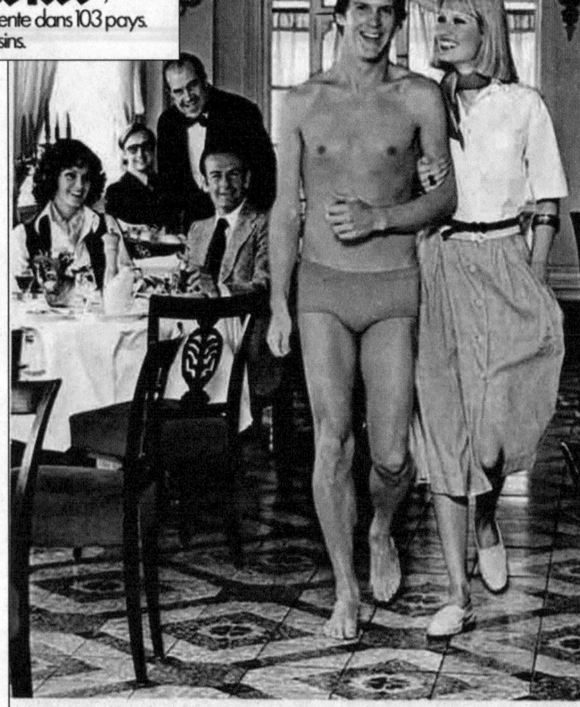
Si vous êtes fier d'être en Jil, montrez-le.
Sous-vêtements.

JIL

Il y a encore un moyen d'impressionner les femmes...

... avec quelque chose qu'elles n'auront jamais vu : un slip imprimé Jockey. Un slip insolite, mais confortable.
Chaque mois, Jockey crée pour vous de nouveaux slips imprimés, de nouvelles impressions originales.

En plus, les slips imprimés Jockey sont bien coupés, et d'une qualité sans équivalent : 100 % coton, absolument garanti grand teint. Pour impressionner les femmes, il suffit maintenant d'aller acheter les slips Jockey chez les chemisiers et dans les grands magasins.

Slips imprimés Jockey : de nouvelles impressions tous les mois.

BUILD A GREAT
LOOKING WARDROBE FROM
THE INSIDE OUT.
I am bored
JOCKEY FASHION UNDERWEAR

Constituez-vous une superbe garde-robe près du corps.

Les créatifs gambergent : comment s'adapter au nouvel air du temps après 68 ? Les résultats sont rarement convaincants...

On croyait que la France
était bien défendue.
Réveillez le contestataire
qui sommeille en vous.
Eminence

La contestation
est partout.
Réveillez le contestataire
qui sommeille en vous.
Eminence

Qu'importent les mauvaises suspensions quand on porte un...
Slip
masculin
KANGOUROU
ERBY

Has an attractive woman ever asked you,
"WHAT TIME IS IT?"
Why not give her a timely reminder...
TIME TO FUCK
$49.95
WARNING! DO NOT TRY TO KEEP UP WITH THIS WATCH!

Est-ce qu'une femme séduisante vous a déjà demandé quelle heure il est ?
Pourquoi ne pas lui donner un rappel ?
Toutes les 30 secondes, un nombre incalculable de fois par jour, cette montre en or affichera « C'est l'heure de baiser » sur le cadran. Si vous cherchez une manière originale de briser la glace ou d'aller directement à l'essentiel, vous pouvez acheter ce bijou qui sera l'objet de nombreuses conversations. Attention, ne tentez pas de suivre le rythme imposé par cette montre !

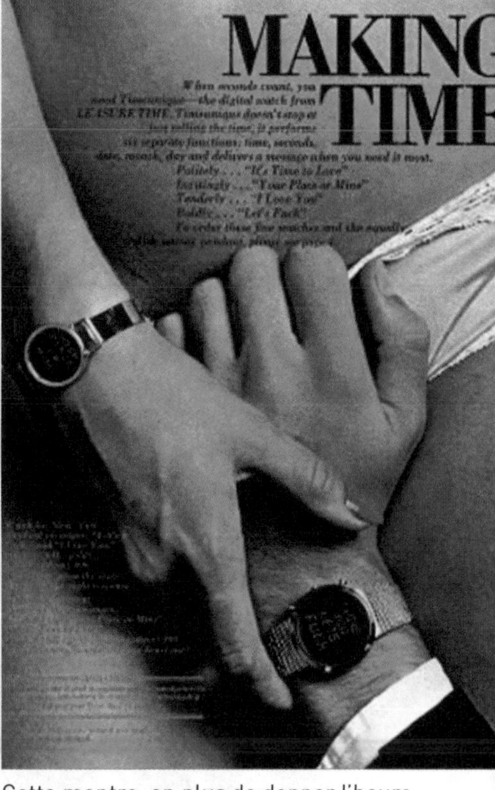
MAKIN
TIM

Cette montre, en plus de donner l'heure, affiche un message selon la situation, du genre :
Poliment : « C'est l'heure d'aimer... »
Suggestif : « Chez toi, ou chez moi ? »
Tendrement : « Je t'aime »
Audacieusement : « Baisons »

L'homme aime l'innovation
et les nouvelles technologies,
surtout quand elles le rapprochent
de la femme, comme le montrent
si justement ces exemples flagrants...

inséparable SONY
Rien ne vaut un Sony

le téléviseur de la troisième chaîne

déjà équipé pour 1972 en VHF 625 lignes, position B sur l'appareil, c'est le nouveau TV portatif SONY à écran 23 cm, teinté pour une vision confortable même au soleil. "Transeurope", il reçoit tous les canaux. Sa technologie avancée, avec l'utilisation d'un circuit intégré, en fait un poste robuste, léger, réellement portable (5,3 kg). Il fonctionne sur secteur 110, 130 ou 220 V, sur batterie auto-bateau 12 V ou batterie rechargeable (sur option). Prise pour enregistrement direct au magnétophone. Prise mini-écouteur (fourni avec l'appareil).

agent général pour la France

TRANCHANT ELECTRONIQUE. 19-21, R. Madame-de-Sanzillon - Clichy 92 - Tél. : 270-93-40

Découpez ce bon pour recevoir notre documentation sur les matériels SONY et le nom du concessionnaire le plus proche de votre domicile : télévision, magnétoscope, haute-fidélité, magnétophones, radio, calculatrices électroniques de bureau.

M ....

Adresse ....

Pour toi mon frère
YARDLEY
BLACK LABEL
EAU DE COLOGNE
*
eau de cologne, after-shave,
déodorant anti-perspirant,
mousse à raser, savons, etc...
BLACK LABEL*, c'est comme une drogue,
tu ne pourras plus t'en passer

La **VOITURE**
a été créée par l'homme
pour l'homme, et quand
c'est une femme
qui est au volant,
bonjour
l'accident...

"This my wife would never understand"
"Well, it was like this. I was the sort who knew his own mind, knew what he wanted. Didn't ask advice often, particularly at home. Seeing that beauty on the street was what woke me up to what I'd been missing. Here I'd been buying the same old kind of car, year after year, never asking the little woman what she wanted. Man, that Aero Willys made me realize that something's happened in the automobile business. When I saw that car, and realized how beautiful it was . . . how it was made by Willys Motors who made the 'Jeep' famous . . . I determined to buy an Aero Willys for my wife. It wasn't even her birthday, (and I don't think it was an anniversary of any kind) that's why she can't understand it. But is she happy with her new AERO WILLYS"
TO UNDERSTANDING HUSBANDS:
Escort your wife to a Willys showroom today. We'll do the rest!

« Ma femme ne comprendra jamais pourquoi je lui ai offert une AERO WILLYS alors que ce n'était pas son anniversaire. »

"Women don't understand rack-and-pinion steering."
You may be wondering why we didn't save our rack-and-pinion ad for Playboy.
What do you care about a precise steering mechanism?
Well, we get stacks of letters from women who own Hondas and not one of them has ever gushed over the shade of blue or the texture of the fabric.
But they love the way our Honda Civic handles on curves.
(Like a sports car.)
The way it maneuvers into impossible parking spaces.
The feeling of control: When you drive a Honda, you're boss—not just tagging along.
The truth is, women buy cars for pretty much the same reasons men do.
And if other car manufacturers don't know it yet, we hope they don't see this ad.
Honda Civic.
We don't make "a woman's car"

« Les femmes ne pigent rien à la mécanique. »
La vérité, c'est que les femmes achètent une voiture pour les mêmes raisons que les hommes. Nous ne fabriquons pas des voitures de femme.

"I drove the Subaru without a man telling me how... and I wrote this ad the same way."

Those male auto experts told me to tell you it's an adorable little car and owning one will make you look rich and sexy.

I told them that you'd rather hear the news that the Subaru doesn't cost much to own or operate. That it's comfortable, dependable, and fun to drive. Parks easily and gets around 25 miles to the gallon on regular gas.

They told me not to mention technical car terms, because you wouldn't understand them anyway.

I told them you'd certainly understand that front wheel drive gives the Subaru more traction and maneuverability. That rack and pinion steering and 4-wheel independent suspension make Subaru easier and safer to handle. And that the Quadrozontal engine design cuts down on engine wear.

They told me to tell you not to be afraid of Subaru's 4-speed stick shift.

Since over 20 percent of Subaru's buyers are *already* women, that old myth about females only being able to handle an automatic transmission is hogwash. I can tell you that Subaru's 4-speed stick shifts very smoothly. So who's afraid?

They told me to quote a testimonial from a male racing driver, since women don't trust the judgment of other women.

Here's what Arlene Silver, a young bank executive who traded her VW for a new Subaru, says:

'8,000 miles later, I haven't spent a penny on repairs. I always get 30 miles to the gallon, on regular. The brakes are great...It's fun to drive...When it's time to buy another car, I wouldn't hesitate to buy another Subaru.'

They told me I'm awful cute when I'm mad.

I locked myself in my office and wrote this ad *my* way.

Carol Lynn Cope

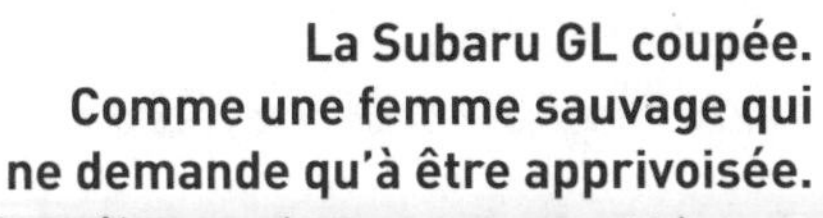

Front Drive Subaru '74

You could buy it for gas mileage alone. But there's so much more.

« J'ai conduit une Subaru sans qu'un homme n'ait eu besoin de me l'expliquer, et de même quand j'ai écrit cette pub. »

Ces hommes, experts en automobile, m'ont dit de vous dire que c'est une petite voiture adorable et qu'elle vous fera paraître riche et sexy.

Je leur ai répondu que vous seriez plus intéressées d'apprendre que la Subaru ne coûte pas trop cher, qu'elle est confortable, fiable, et agréable à conduire.

Ils m'ont dit que j'ai l'air mignonne quand je suis en colère, et donc je me suis enfermée dans mon bureau et j'ai écrit cette pub à ma façon.

The Subaru GL Coupe. Like a spirited woman who yearns to be tamed.

Perhaps you're a man who grabs life by the cuff. You live life your way. And it shows... in the clothes you wear...in the women you love...and in the car you drive.

The Subaru GL Coupe is waiting for you.

Sleek. Agile. The sculptured lines of the one piece body invite you in. With front wheel drive she's different. A step ahead of the others. Go to her. Let her cradle you in the softness of her highback reclining bucket seats. Surround yourself with the lushness of her interior appointments. The GL Coupe is ready.

Now. Turn her on.

Lead her to the open road. This is where the Subaru GL Coupe wants to be. Unleash the relentless power of her 1400cc quadrozontal engine. Control the Coupe's every movement—her every twist and turn—as you take hold of her rack and pinion steering. She'll make it smooth with her four wheel independent suspension. She'll carry you away as she peaks to the red line of her tach.

The Subaru GL Coupe is yours. Waiting for you.

And one more good thing, she costs so little to keep happy.

Front Drive
Subaru

La Subaru GL coupée. Comme une femme sauvage qui ne demande qu'à être apprivoisée.

Contrôlez-en chaque mouvement jusque dans les moindres détails, prenez en main sa carrosserie, maîtrisez son joint de culasse. Elle vous fera voyager en douceur avec son système de suspension. Et en plus elle ne coûte pas cher à rendre heureuse.

The Mini Automatic. For simple driving.

La Mini Automatic. Pour une conduite simple.

Les campagnes Volkswagen, un véritable catalogue de créativité et de transgressions bien dans l'air du temps, n'ont pas échappé au cliché « femme symbole du danger au volant ». Dommage...

Sooner or later, your wife will drive home one of the best reasons for owning a Volkswagen.

Women are soft and gentle, but they hit things.

If your wife hits something in a Volkswagen, it doesn't hurt you very much.

VW parts are easy to replace. And cheap. A fender comes off without dismantling half the car. A new one goes on with just ten bolts. For $24.95,* plus labor.

And a VW dealer always has the kind of fender you need. Because that's the one kind he has.

Most other VW parts are interchangeable too. Inside and out. Which means your wife isn't limited to fender smashing.

She can jab the hood. Graze the door. Or bump off the bumper.

It may make you furious, but it won't make you poor.

So when your wife goes window-shopping in a Volkswagen, don't worry.

You can conveniently replace anything she uses to stop the car.

Even the brakes.

Tôt ou tard votre femme ramènera à la maison une des meilleures raisons de conduire une Wolkswagen.

Les femmes sont douces mais maladroites. Si votre femme a un accident dans une Wolkswagen ça ne sera pas très grave. Les pièces d'une VW sont faciles à remplacer et bon marché. Elle peut planter le capo, érafler la portière, enfoncer le pare-chocs, cela vous rendra furieux mais pas pauvre.

PP-400B

If Ted Kennedy drove a Volkswagen, he'd be President today.

It floats.

The way our body is built, we'd be surprised if it didn't.

The sheet of flat steel that goes underneath every Volkswagen keeps out water, as well as dirt and salt and other nasty things that can eat away at the underside of a car. So it's watertight at the bottom.

And everybody knows it's easier to shut the door on a Volkswagen after you've rolled down the window a little. That proves it's practically airtight on top.

If it was a boat, we could call it the Water Bug.

But it's not a boat, it's a car.

And, like Mary Jo Kopechne, it's only 99 and 44/100 percent pure.

So it won't stay afloat forever. Just long enough.

Poor Teddy.

If he'd been smart enough to buy a Volkswagen, he never would have gotten into hot water.

Si Ted Kennedy avait conduit une Volkswagen, il serait président aujourd'hui.

(En référence à l'accident de voiture dans lequel la passagère de Ted est morte noyée.)

L'important
c'est la SANTÉ,
n'hésitez donc pas
à donner à vos enfants
ce sirop à l'opium ou ces
cachets à la cocaïne,
ils retrouveront
calme et joie
de vivre...

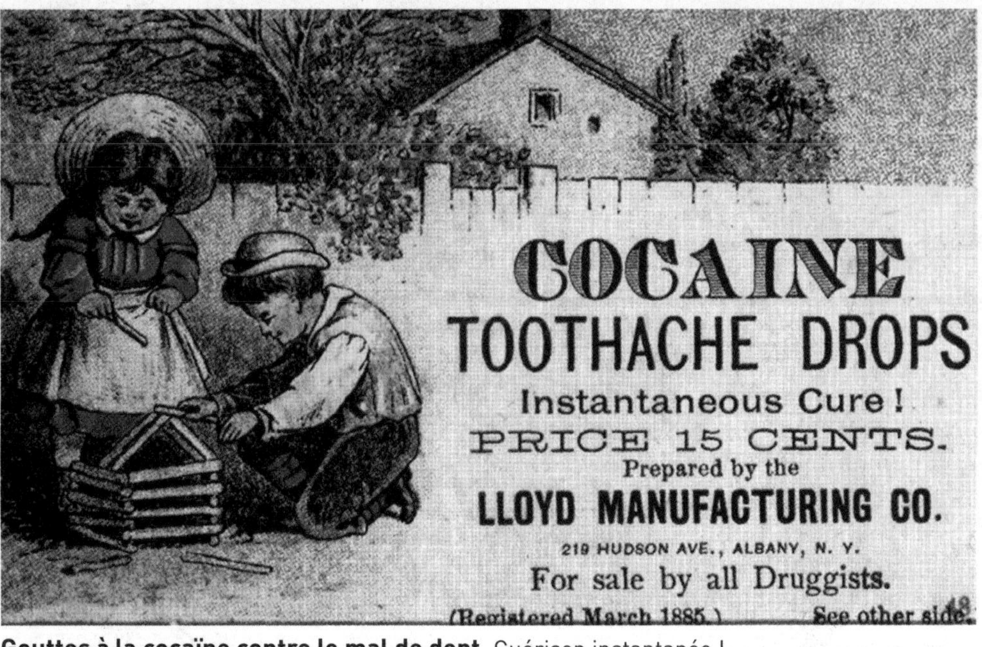
COCAINE
TOOTHACHE DROPS
Instantaneous Cure!
PRICE 15 CENTS.
Prepared by the
LLOYD MANUFACTURING CO.
219 HUDSON AVE., ALBANY, N. Y.
For sale by all Druggists.
(Registered March 1885.) See other side.

Gouttes à la cocaïne contre le mal de dent. Guérison instantanée !

AYER'S
AYER'S CHERRY PECTORAL
Cures Colds, Coughs & all Diseases
of the Throat and Lungs

Sur cette affiche, on vend un médicament pour les enfants à base d'opium. Il est intéressant de constater à quel point les visages des enfants sont paisibles au contact de cette bouteille.

Des réclames d'autrefois enluminées par des illustrateurs qui ont visiblement abusé des produits qu'ils dessinaient.

« Le produit Wolscott's éradique instantanément la douleur. » ▶
Les ingrédients de ce médicament ne sont pas tous exactement connus, mais on sait qu'on y trouve en quantité significative de l'alcool et de l'opium.

WOLCOTT'S INSTANT PAIN ANNIHILATOR.
Fig 1. Demon of Catarrh. Fig 2. Demon of Neuralgia. Fig 3. Demon of Headache Fig 4. Demon of Weak Nerves. Fig 5.5 Demons of Toothache

COCA-COLA
SYRUP ✡ AND ✡ EXTRACT.
For Soda Water and other Carbonated Beverages.
This "INTELLECTUAL BEVERAGE" and TEMPERANCE DRINK contains the valuable TONIC and NERVE STIMULANT properties of the Coca plant and Cola (or Kola) nuts, and makes not only a delicious, exhilarating, refreshing and invigorating Beverage, (dispensed from the soda water fountain or in other carbonated beverages), but a valuable Brain Tonic, and a cure for all nervous affections — SICK HEAD-ACHE, NEURALGIA, HYSTERIA, MELANCHOLY, &c.
The peculiar flavor of COCA-COLA delights every palate; it is dispensed from the soda fountain in same manner as any of the fruit syrups.
J. S. Pemberton;
Chemist,
Sole Proprietor, Atlanta, Ga.

TIRED? THEN DRINK
Coca-Cola
IT RELIEVES EXHAUSTION
When the BRAIN is running under full pressure send down to the FOUNTAIN for a glass of
Coca-Cola
you will be surprised how quickly it will ease the Tired Brain—soothe the Rattled Nerve and restore Wasted Energy to both Mind and Body.
It enables the entire system to readily cope with the strain of any excessive demands made upon it.
AT ALL FOUNTAINS
ALSO IN BOTTLES 5c.

Cette « boisson intellectuelle » contient un tonique et des propriétés stimulantes pour les nerfs venant de la plante de coca et des noix de cola. Elle est non seulement délicieusement rafraîchissante, mais guérit de plus de toutes les maladies nerveuses telles que les maux de tête, la névralgie, l'hystérie, la mélancolie, etc. Si vous êtes fatigués, buvez du Coca-Cola. Contre l'épuisement.

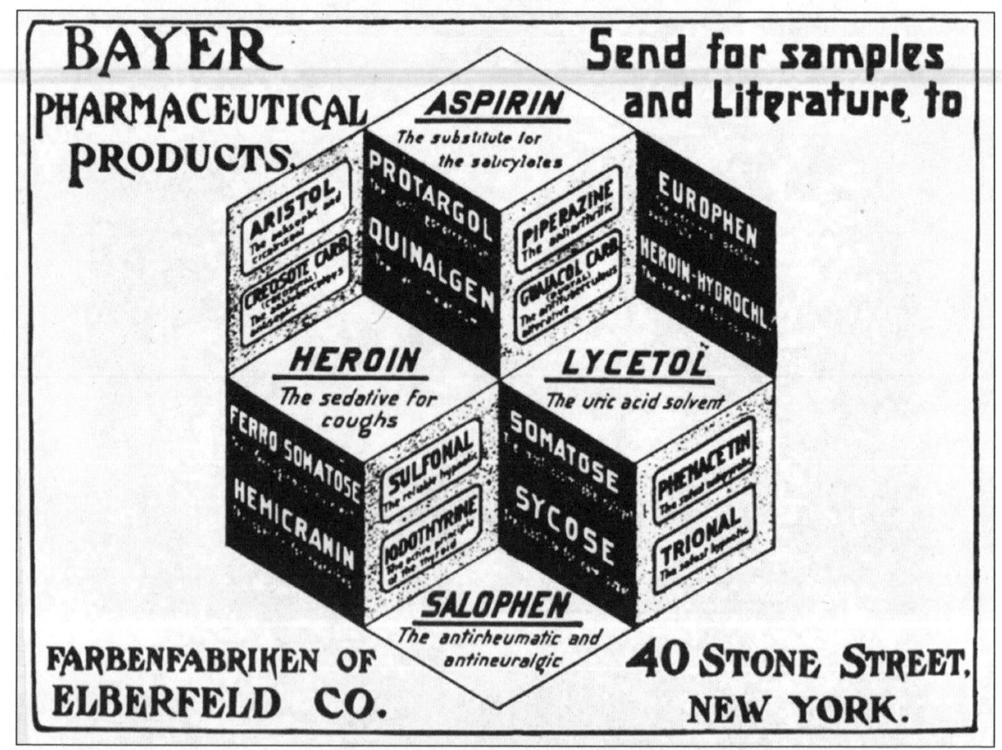

BAYER
PHARMACEUTICAL
PRODUCTS.
Send for samples and Literature to
ASPIRIN
The substitute for the salicylates
PROTARGOL
QUINALGEN
ARISTOL
CREOSOTE CARB.
PIPERAZINE
The antiarthritic
GUAIACOL CARB.
EUROPHEN
HEROIN-HYDROCHL.
HEROIN
The sedative for coughs
LYCETOL
The uric acid solvent
FERRO SOMATOSE
HEMICRANIN
SULFONAL
The reliable hypnotic
IODOTHYRINE
The active principle of the thyroid
SOMATOSE
SYCOSE
PHENACETIN
TRIONAL
SALOPHEN
The antirheumatic and antineuralgic
FARBENFABRIKEN OF
ELBERFELD CO.
40 STONE STREET,
NEW YORK.

Dans cette publicité pour les produits pharmaceutiques Bayer datant de 1900, l'héroïne est vendue au même niveau que l'aspirine ; c'est-à-dire en tant que sédatif contre la toux. En effet, à l'époque, elle était un médicament largement prescrit par les médecins puisque le nom « Heroin » est à l'origine une marque déposée par cette compagnie.

MRS WINSLOW'S
SOOTHING
SYRUP
MRS WINSLOW'S
Soothing
Syrup
FOR
CHILDREN
TEETHING.
FOR CHILDREN TEETHING

Mrs Winslow's, sirop apaisant pour enfants. Les scientifiques américains ont révélé la présence de morphine, chloroforme, codéine, héroïne, opium, cannabis dans presque tous les sirops apaisants en vente sur le marché.

MAKES
CHILDREN
AND ADULTS
AS FAT AS
PIGS.
NO CURE
NO PAY
Price
50 Cents
GROVE'S
TASTELESS CHILL TONIC
ON THE MARKET OVER 20 YEARS
1½ MILLION BOTTLES SOLD LAST YEAR

Sur cette image, on peut se poser la question de savoir pourquoi on représente un cochon avec une tête d'enfant pour vendre un médicament contre la malaria…

LES MAUX DE PIEDS DÉSUNISSENT UN MÉNAGE HEUREUX

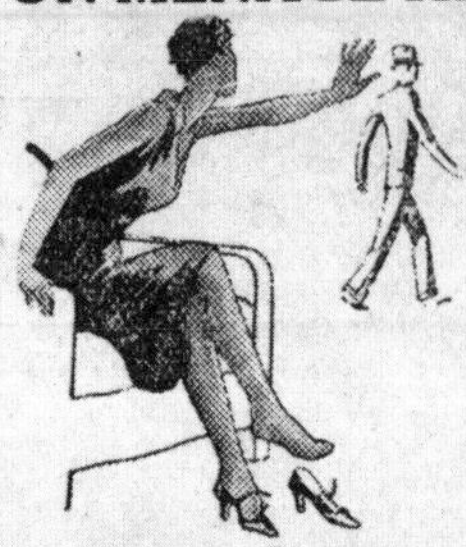

Elle était jeune, jolie et bonne femme d'intérieur ; lui travaillait dur, aimait son ménage, mais aussi les exercices en plein air. Elle essayait bien de le suivre, mais à la suite du plus petit effort, ses pieds se fatiguaient, s'échauffaient et devenaient douloureux et ses chevilles enflaient. La marche était pour elle un supplice ! Il avait pitié d'elle, mais il la comparait inconsciemment à d'autres jeunes femmes actives et sportives et quand par suite du manque d'exercice elle s'épaissit et perdit sa juvénile silhouette, ce fut la fin de leur bonheur. Quel dommage qu'elle n'ait pas connu ce remède qui guérit si sûrement les maux de pieds ! Il lui aurait suffi de mettre des Saltrates Rodell dans de l'eau chaude, jusqu'à ce que l'oxygène libéré eût donné au mélange l'aspect d'un lait crémeux et elle aurait fait disparaître ainsi tous ses maux de pieds. Un bain de cette nature amollit les durillons et pénètre jusqu'à la racine même des cors, permettant ainsi de les détacher en entier avec leur racine, sans souffrir et sans se blesser. Ce tonique laiteux, calmant et reconstituant diminue l'enflure, guérit les pieds fatigués et abîmés et les remet en parfait état.

Votre pharmacien vend et recommande les Saltrates Rodell.

Grâce à la
CULTURE - PSYCHO - PHYSIQUE
(DYNAM pour Hommes - DYNORA pour Femmes) diffusée par correspondance sous la direction des meilleurs Spécialistes Parisiens - Aucun appareil - Adaptée sous contrôle médical à chaque cas et à chaque âge.

Ce vieux ménage est devenu le COUPLE IDÉAL

LUI - 48 ans - Bedonnant et sur le déclin est devenu **chez lui** en quelques semaines un homme jeune, **musclé**, **fort** et **sain**, avec une carrure imposante, une large poitrine, et la taille mince et souple d'un sportif.

Sa transformation mentale a été **aussi rapide** et aussi **spectaculaire** : *il était timide, effacé, sans volonté.* Il est maintenant **gai**, entreprenant, **dynamique**. Son plaisir : voir ses muscles "*pousser*" et son caractère se **viriliser** et **s'épanouir**.

ELLE - 40 ans - *l'âge critique pour beaucoup,* pour elle le point de départ d'une **nouvelle jeunesse**. La Méthode DYNORA est devenue pour elle un plaisir quotidien. Son corps s'est **affiné**, **assoupli**, **galbé**. Jamais sa poitrine n'a été si **belle**, si **haute**, si **ferme**.

Sa taille, grâce à sa "*gaine musculaire*" et malgré un beau bébé, n'a jamais été si **mince**, son ventre si **plat**, sa silhouette si **gracieuse**.

BÉBÉ - 4 ans - DYNAM leur a permis d'avoir un **magnifique bébé**, robuste, bien planté, débordant de vie et de santé...

Paraissez Jeune

Le Biocel de la Peau Produit Surprenant Provenant de Jeunes Animaux

Appliqué Extérieurement Redonne à La Peau La Jeunesse.

Cette merveilleuse substance fortement concentrée — le biocel — provenant de jeunes animaux, est maintenant contenue dans la Crème Tokalon, aliment pour la peau, Couleur Rose, préparée selon le procédé spécial du Professeur Dr. Stejskal de la Faculté de Médecine de Vienne.

Au cours des stupéfiantes expériences de nutrition de la peau, effectuées par le Dr. Stejskal, sur les femmes âgées de 55 à 72 ans, les rides ont complètement disparu dans l'espace de six semaines (voyez le compte rendu complet dans le Journal Médical de Vienne). Les muscles flasques et affaissés du visage sont tonifiés et rendus frais et fermes. Les femmes de 50 ans peuvent maintenant n'en paraître que 30 et obtenir des teints ravissants et juvéniles qui pourraient faire l'envie de bien des jeunes filles.

Employez cette nouvelle Crème Tokalon, au Biocel, aliment pour la peau couleur rose, le soir avant de vous coucher, elle nourrit et rajeunit votre peau pendant votre sommeil. Le matin employez la Crème Tokalon, aliment pour la peau, couleur blanche, (non-grasse) elle supprime les pores dilatés, les points noirs et sert de base parfaite à la poudre.

good morning
after
sleep-through
night
hat's how a patient feels after a restful ight's sleep provided by Quāālude-300 methaqualone).
He wakes up alert and ready to face he demands of the day (Quāālude atients usually awaken easily and vithout evidence of "hangover")... be- ause he slept well all night (Quāālude sually helps produce 6 to 8 hours of estful sleep)... and he didn't have to lie wake for a long period of time before e went to sleep (Quāālude can induce leep in 10 to 30 minutes). Now the hysician has one less tired, sleepy and pprehensive patient to contend with.
Non-barbiturate Quāālude-300 is hemically unrelated to other sedative- hypnotics. Its therapeutic value has been established in controlled clinical studies and by wide usage of metha- qualone throughout the world.
Side effects reported have been mild, transient, and have often proved to be statistically insignificant when com- pared to placebo effects. (See brief sum- mary on last page of advertisement.)
For these reasons, maybe the pre- scribing physician sleeps a little better, too.
a non-barbiturate
Quāālude-300
(methaqualone)
300 mg. tablets
WILLIAM H. RORER, INC.
Fort Washington, Pa. 19034
RORER
For additional prescribing information, please turn page.
Milk

Un bon réveil après une bonne nuit de sommeil.
Ce patient se réveille en forme et prêt à affronter la journée.

Le Quaalude 300 (méthaqualone) était vendu comme somnifère et calmant. Le méthaqualone était utilisé dans les années soixante et soixante-dix en tant que drogue récréative sous le nom de Mandrake. En 1972, c'était l'un des sédatifs les plus vendus aux États-Unis. Mais une trop grande consommation entraînant des délires, des vomissements, des insuffisances rénales, et des comas suivis d'arrêts cardiaques, il a été classé comme drogue de niveau 1 et retiré des marchés des pays développés dans les années quatre-vingt.

S'ils sont si heureux,
c'est que tout le monde
est sous calmants...

Soulage les gorges enflammées.
Depuis 62 ans, les tablettes de glycérine Pine Bros soulagent les gorges meurtries. Ce produit lubrifie les parois, et délivre une fine couche qui protège des inflammations et ne ferait même aucun mal au ventre de votre bébé.

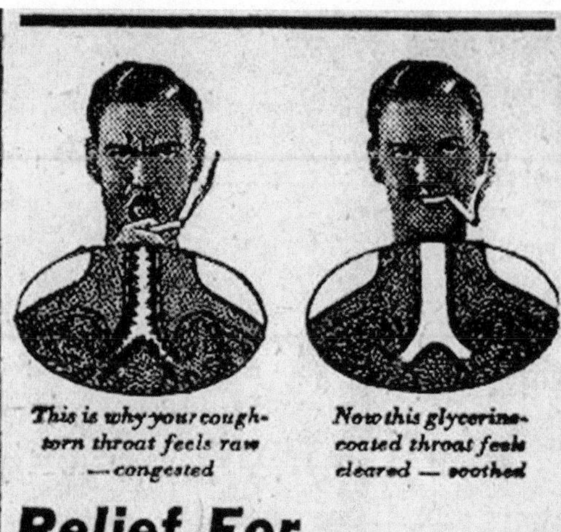
This is why your cough-torn throat feels raw — congested
Now this glycerine-coated throat feels cleared — soothed
Relief For
RAW THROATS
For sixty-two years Pine Bros. Glycerine Tablets have soothed cough-torn throats. The Glycerine does it! You actually feel it lubricate and soften the tissues. It clears away congestion and leaves a gentle, clinging coating that protects the inflamed membranes from further irritation. They will not upset even a child's stomach.
PINE BROS.
SINCE 1870
GLYCERINE TABLETS

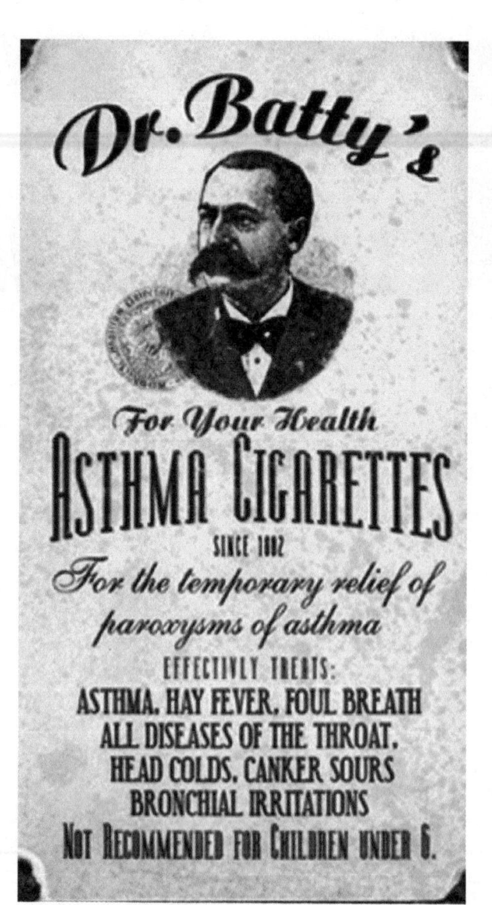
Dr. Batty's
For Your Health
ASTHMA CIGARETTES
For the temporary relief of paroxysms of asthma
EFFECTIVELY TREATS:
ASTHMA, HAY FEVER, FOUL BREATH
ALL DISEASES OF THE THROAT,
HEAD COLDS, CANKER SOURS
BRONCHIAL IRRITATIONS
NOT RECOMMENDED FOR CHILDREN UNDER 6.

Cigarettes contre l'asthme.
Réduisent les symptômes liés aux crises d'asthme de manière temporaire. Guérissent aussi du rhume des foins, de la mauvaise haleine, de toutes les maladies de la gorge, du rhume du cerveau, des aphtes et des irritations des bronches.

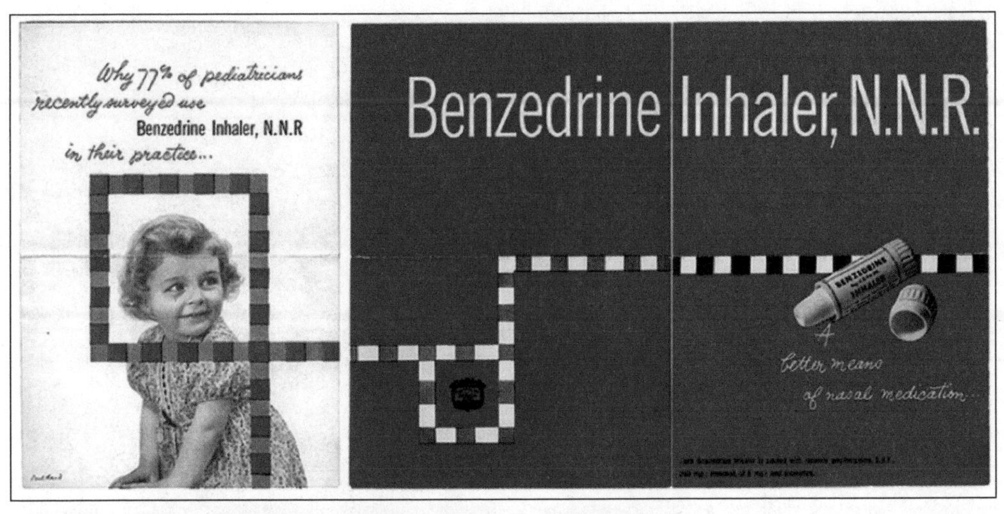
Why 77% of pediatricians recently surveyed use
Benzedrine Inhaler, N.N.R
in their practice...
Benzedrine Inhaler, N.N.R.
4 better means of nasal medication...

77 % des pédiatres sondés prescrivent l'inhalateur « Benzedrine ».

Benzedrine Inhaler
is available to
High Altitude Flying Personnel!
Benzedrine Inhaler is now an official item of issue in the Army Air Forces.
It is available to Flight Surgeons for distribution to high altitude flying personnel, for relief of nasal congestion.
Benzedrine Inhaler
A Volatile Vasoconstrictor . . . Outstandingly Convenient,
But, First and Foremost, A Highly Effective Therapeutic Agent.
Each Benzedrine Inhaler contains racemic amphetamine, S.K.F., 250 mg.; oil of lavender, 75 mg.; and menthol, 12.5 mg.
SMITH, KLINE & FRENCH LABORATORIES · PHILADELPHIA

Un bon snif d'amphétamine et ça repart.

L'inhalateur Benzedrine est désormais disponible pour les pilotes de l'armée de l'air !

Yo
Bu
fe
You kno
She's an
Beset by
fined to
isolation
SERAX (c
relieve a
cope wit
posure—
Contraind
cated in p
Precautio
ensue fro
pendency
symptom
to overdo
result in
dosage to
machiner
reduction
Not indica
Side Effec
initially;
infrequen
reported
lar) are
and gene
function
liver func
These sid
tion with
blood dys
disorienta
Availabili

Vous ne pouvez pas la libérer mais vous pouvez l'aider à être moins nerveuse.

Cette femme est stressée par son quotidien.
À la maison toute la journée, ses symptômes reflètent un sentiment d'insuffisance et d'isolation. Le Serax est là pour soigner son anxiété.

can't set her free. you can help her less anxious.

woman.

tense, irritable. She's felt this way for months.

emingly insurmountable problems of raising a young family, and con-
ne most of the time, her symptoms reflect a sense of inadequacy and
reassurance and guidance may have helped some, but not enough.

am) cannot change her environment, of course. But it can help
tension, agitation and irritability, thus strengthening her ability to
to-day problems. Eventually—as she regains confidence and com-
ounsel may be all the support she needs.

in anxiety, tension, agitation, irritability, and anxiety associated
ession.

sed in a broad range of patients, generally with considerable
exibility.

s: History of previous hypersensitivity to oxazepam. Oxazepam is not indi-
es.

otensive reactions are rare, but use with caution where complications could
in blood pressure, especially in the elderly. One patient exhibiting drug de-
ing a chronic overdose developed upon cessation questionable withdrawal
fully supervise dose and amounts prescribed, especially for patients prone
essive prolonged use in susceptible patients (alcoholics, ex-addicts, etc.) may
ence or habituation. Reduce dosage gradually after prolonged excessive
possible epileptiform seizures. Caution patients against driving or operating
bsence of drowsiness or dizziness is ascertained. Warn patients of possible
hol tolerance. Safety for use in pregnancy has not been established.

children under 6 years; absolute dosage for 6 to 12 year-olds not established.

rapy-interrupting side effects are rare. Transient mild drowsiness is common
tent, reduce dosage. Dizziness, vertigo and headache have also occurred
cope, rarely. Mild paradoxical reactions (excitement, stimulation of affect) are
iatric patients. Minor diffuse rashes (morbilliform, urticarial and maculopapu-
usea, lethargy, edema, slurred speech, tremor and altered libido are rare
ntrollable by dosage reduction. Although rare, leukopenia and hepatic dys-
g jaundice have been reported during therapy. Periodic blood counts and
ts are advised. Ataxia, reported rarely, does not appear related to dose or age.

ons, noted with related compounds, are not yet reported: paradoxical excita-
age reactions, hallucinations, menstrual irregularities, change in EEG pattern,
(including agranulocytosis), blurred vision, diplopia, incontinence, stupor,
ver, euphoria and dysmetria.

sules of 10, 15 and 30 mg. oxazepam.

To help you relieve anxiety and tension

Serax®
(oxazepam)

Wyeth®
SERVICE TO MEDICINE

Wyeth Laboratories
Philadelphia, Pa.

for proved antidepressant effect—
both rapid and prolonged
DEXAMYL® SPANSULE®
'Dexamyl' has been used successfully for over a decade, and in sustained release form for more than six years. Just one 'Dexamyl' Spansule capsule, taken in the morning, provides daylong therapeutic effect. And mood elevation is usually apparent within 30 to 60 minutes.
'Dexamyl' is of significant value in depressed and verbally inhibited patients. Drayton¹ states, "Not only does ['Dexamyl'] exert a direct mood effect, so that the shadow of depression is lifted, but it also results in making the patient more approachable and communicative."
1. Drayton, W., Jr.: Pennsylvania M. J. 51:949.
leaders in
psychopharmaceutical research
SMITH
KLINE &
FRENCH

Grâce à cet antidépresseur, cette femme retrouve le sourire, tout en faisant le ménage. Évidemment.

Dexamyl a prouvé ses effets thérapeutiques depuis une dizaine d'années ; une seule capsule prise le matin aura des effets bénéfiques tout au long de la journée.

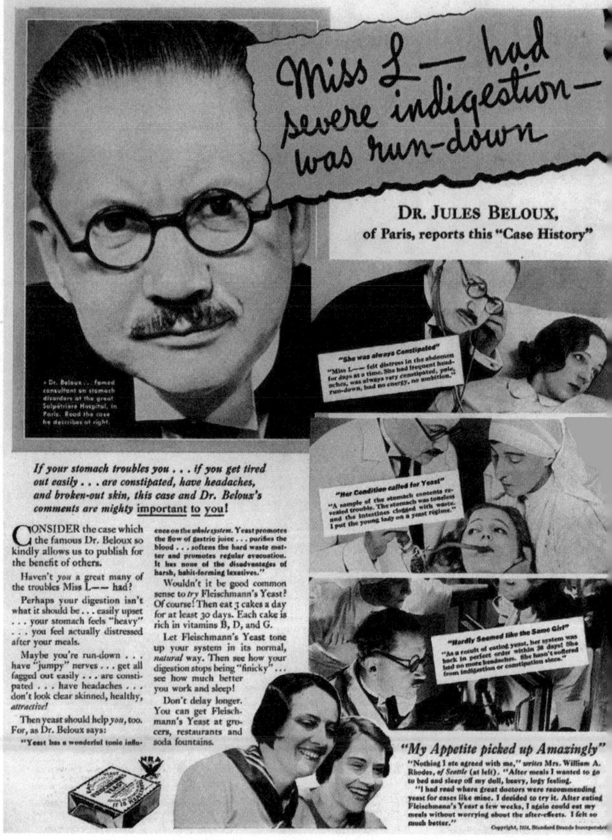

Miss L— had severe indigestion — was run-down
DR. JULES BELOUX,
of Paris, reports this "Case History"
Dr. Beloux... famed consultant on stomach disorders at the great Salpêtrière Hospital, in Paris. Read the case he describes at right.
If your stomach troubles you . . . if you get tired out easily . . . are constipated, have headaches, and broken-out skin, this case and Dr. Beloux's comments are mighty important to you!
CONSIDER the case which the famous Dr. Beloux so kindly allows us to publish for the benefit of others.
Haven't you a great many of the troubles Miss L—— had?
Perhaps your digestion isn't what it should be . . . easily upset . . . your stomach feels "heavy" . . . you feel actually distressed after your meals.
Maybe you're run-down . . . have "jumpy" nerves . . . get all fagged out easily . . . are constipated . . . have headaches . . . don't look clear skinned, healthy, attractive!
Then yeast should help you, too. For, as Dr. Beloux says:
"Yeast has a wonderful tonic influence on the whole system. Yeast promotes the flow of gastric juice . . . purifies the blood . . . softens the hard waste matter and promotes regular evacuation. It has none of the disadvantages of harsh, habit-forming laxatives."
Wouldn't it be good common sense to try Fleischmann's Yeast? Of course! Then eat 3 cakes a day for at least 30 days. Each cake is rich in vitamins B, D, and G.
Let Fleischmann's Yeast tone up your system in its normal, natural way. Then see how your digestion stops being "finicky" . . . see how much better you work and sleep!
Don't delay longer. You can get Fleischmann's Yeast at grocers, restaurants and soda fountains.
"She was always Constipated"
"Miss L—— felt distress in the abdomen for days at a time. She had frequent headaches, was always very constipated, pale, run-down, had no energy, no ambition."
"Her Condition called for Yeast"
"A sample of the stomach contents revealed trouble. The stomach was toneless and the intestines clogged with waste. I put the young lady on a yeast régime."
"Hardly Seemed like the Same Girl"
"As a result of eating yeast, her system was back in perfect order within 30 days! She had no more headaches. She hasn't suffered from indigestion or constipation since."
"My Appetite picked up Amazingly"
"Nothing I ate agreed with me," writes Mrs. William A. Rhodes, of Seattle (at left). "After meals I wanted to go to bed and sleep off my dull, heavy, logy feeling.
"I had read where great doctors were recommending yeast for cases like mine. I decided to try it. After eating Fleischmann's Yeast a few weeks, I again could eat my meals without worrying about the after-effects. I felt so much better."

Cet éminent docteur de la Salpétrière a réussi à soigner cette pauvre femme atteinte de problèmes intestinaux grâce à de la levure Fleiscmann's yeal.

Des images chocs pour vendre une banale crème contre les brûlures, de la levure ou du papier toilette...

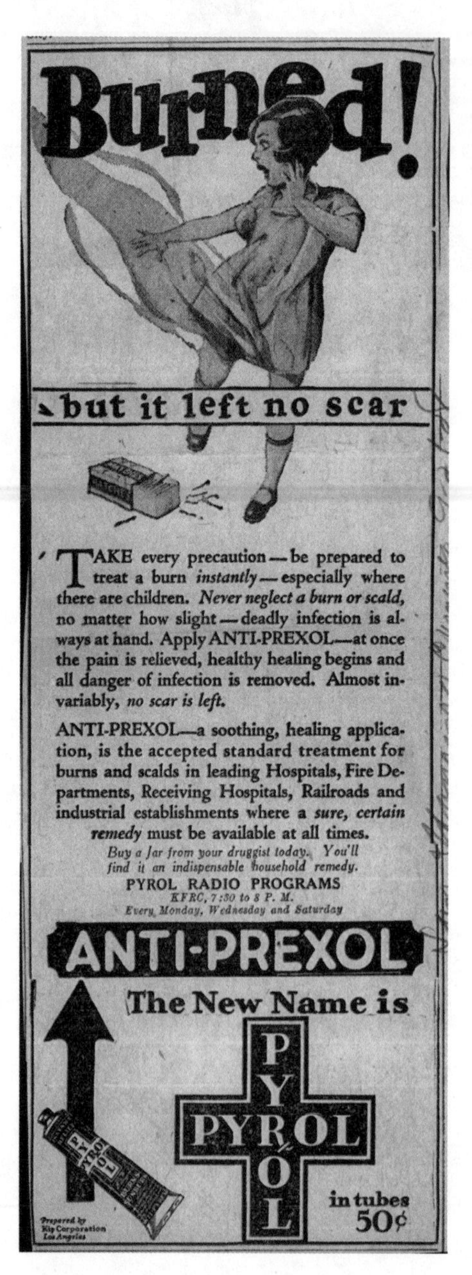

Burned!
but it left no scar
TAKE every precaution — be prepared to treat a burn instantly — especially where there are children. Never neglect a burn or scald, no matter how slight — deadly infection is always at hand. Apply ANTI-PREXOL — at once the pain is relieved, healthy healing begins and all danger of infection is removed. Almost invariably, no scar is left.
ANTI-PREXOL — a soothing, healing application, is the accepted standard treatment for burns and scalds in leading Hospitals, Fire Departments, Receiving Hospitals, Railroads and industrial establishments where a sure, certain remedy must be available at all times.
Buy a Jar from your druggist today. You'll find it an indispensable household remedy.
PYROL RADIO PROGRAMS
KFRC, 7:30 to 8 P. M.
Every Monday, Wednesday and Saturday
ANTI-PREXOL
The New Name is
PYROL
PYROL
in tubes 50¢
Prepared by Kip Corporation Los Angeles

Brûlée, mais sans cicatrice.

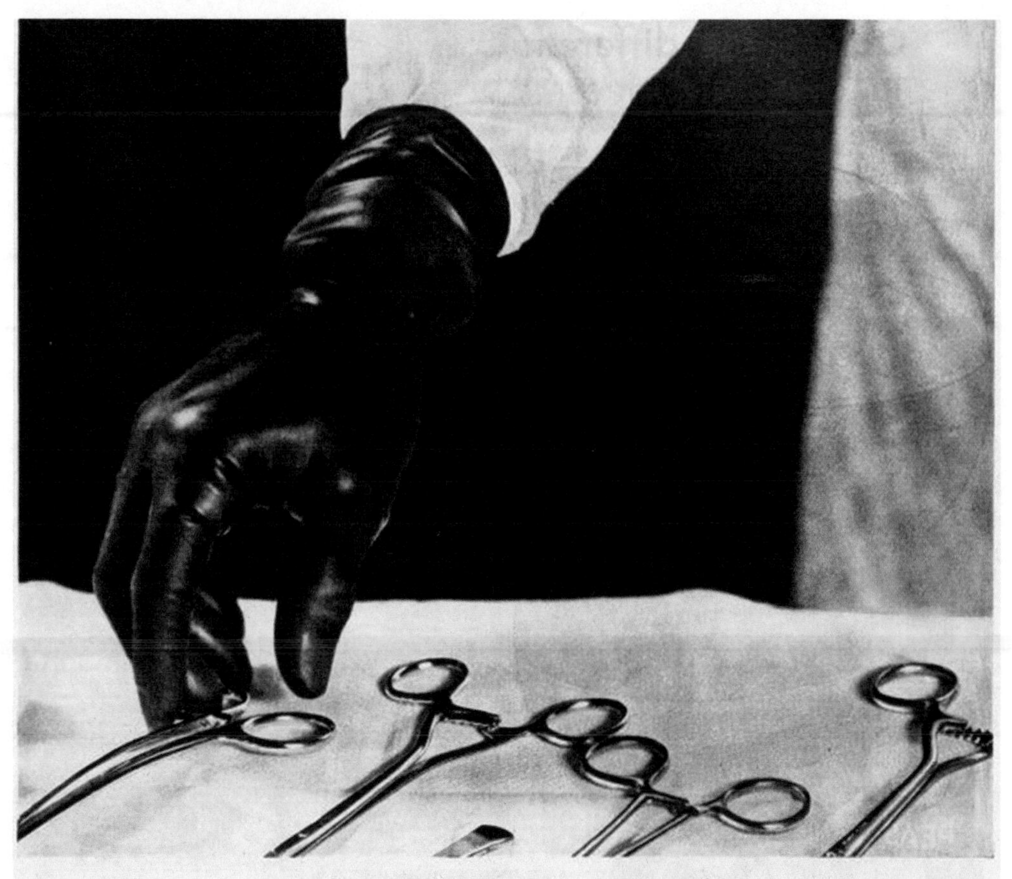

... often the only relief
from toilet tissue illness

THE annual reports issued by public hospitals show an astonishing percentage of rectal cases . . . many of which require surgical treatment.

Physicians who specialize in ailments of this kind estimate that 65 per cent of all men and women over 40 suffer from some form of rectal illness.

Many of these cases are directly traceable to inferior toilet tissue. Harsh, chemically impure toilet tissue—made from reclaimed waste material.

As a safety precaution millions of women are equipping their bathrooms with the tissues that doctors and hospitals approve for safety—ScotTissue and Waldorf.

These two health tissues are made only from fresh new materials, specially processed to obtain an extremely soft, cloth-like texture. They are *twice as absorbent* as ordinary kinds.

Without this degree of absorbency, thorough hygiene is impossible.

You can rely on Scott Tissues to protect your family's health—just as doctors and hospitals rely on them to protect the health of their patients.

Eliminate a needless risk. Ask for ScotTissue or Waldorf when you order. They cost no more than inferior tissues. Scott Paper Company, Chester, Pa. In Canada, Scott Paper Co., Ltd., Toronto, Ont.

SCOTTISSUE, *an extremely soft, pure white, absorbent roll containing 1,000 sheets*
2 *for* 25¢

Soft as old Linen
ScotTissue
The absorbent soft white Toilet Tissue
Scott Paper Company
The Waldorf
A Scott Tissue

WALDORF, *soft and absorbent, yet inexpensive. Any family can afford this fine tissue* 3 *for* 20¢

Doctors, Hospitals, Health Authorities approve **Scott Tissues** for Safety

Les médecins estiment que 65 % des hommes et des femmes
ayant plus de 40 ans souffrent d'une maladie rectale.
Nombre de ces maladies sont liées à l'utilisation de papier toilette
de mauvaise qualité. Cette marque de papier toilette
vous protège de ce genre de problèmes.

THE SATURDAY EVENING POST 45
1,001 WAYS
soap helps to win the war!
PROCTER & GAMBLE'S popular soaps—Ivory and Camay, Oxydol and Duz—are household words all over America.
But Procter & Gamble makes other soaps, too—soaps vitally important to the war effort—which are almost unknown to the public.
We make special soaps for processing parachutes. We make soaps for treating soldiers' uniforms, for preparing war metals for plating, for preserving the leather in boots and strengthening the rubber in jeep tires.
Soap is a weapon of war as well as a tool of peace. Don't waste soap. Don't hoard it. Use it wisely and use it well.
For, the cleanliness of every home and every worker is soap's contribution to the nation's health. And only a healthy nation can produce the planes and ships and guns needed for victory!
...AND ON THE HOME FRONT!
SOAP FOLLOWS THE FLAG. Ivory and Lava Soap and Oxydol and Duz are weapons against discomfort, dirt and germs on all of our far-flung fighting fronts from Italy to the Southwest Pacific.
MEDALS FOR MOTHERS haven't been provided yet, but millions help the war effort by keeping their families clean. Cleanliness helps keep the home front healthy, on the job. Use enough soap—don't waste it!
SOAP IS ON THE ASSEMBLY LINE in many a humming war plant! It's used to reduce friction and to process metal and wire—the sinews of modern war. Today, even building war planes requires great quantities of soap.
LONG LIFE FOR RUBBER! Procter & Gamble is producing materials that are actually prolonging the life of natural rubber articles and that help to make reclaimed rubber available for use.
Procter & Gamble
107 YEARS SERVING OUR COUNTRY—IN PEACE AND IN WAR!
SOAP is a TOOL of PEACE and a WEAPON of WAR

Mille et une raisons pour lesquelles le savon aide à gagner la guerre !
Cette marque de savon se dit participer à la défense de la nation en fournissant diverses formes de savon pour l'armée ainsi que pour l'hygiène des familles. Selon eux, seule une population ayant une bonne hygiène peut être capable de construire les avions et les armes nécessaires à la victoire.

Pour finir
en beauté, quelques
réclames anciennes
plus noires que noires,
où le savon et l'eau de Javel
rendaient plus blanc que
blanc dans de joyeux
effluves de **RACISME**
ordinaire...

um·m·m!
um·m·m!
m·m·m!

LESSIVE DE LA MÉNAGÈRE
ELLE BLANCHIRAIT UN NÈGRE
EN VENTE CHEZ TOUS LES ÉPICIERS

Une constante dans la réclame de la première moitié du XXe siècle : l'opposition des Blancs et des Noirs pour illustrer la propreté et la saleté.

JAVEL
S.D.C
Avec JAVEL S. D. C pour blanchir un nègre on ne perd pas son savon.
JAVEL S. D. C, est au départ de nos usines conforme aux prescriptions du service de la répression des fraudes.
BLANCHISSAGE DU LINGE
Le linge lessivé et rincé doit être mis tremper 2 ou 3 heures dans JAVEL S. D. C. étendue 12 fois son volume d'eau. Rincer ensuite.
DÉSINFECTION ET ANTISEPTIE :
Laver tous les objets avec JAVEL S. D. C. étendue d'eau. Rincer ensuite.
TENIR DEBOUT ET A L'OBSCURITÉ
MAGASINS GÉNÉRAUX : BÉRARD, St-ÉTIENNE

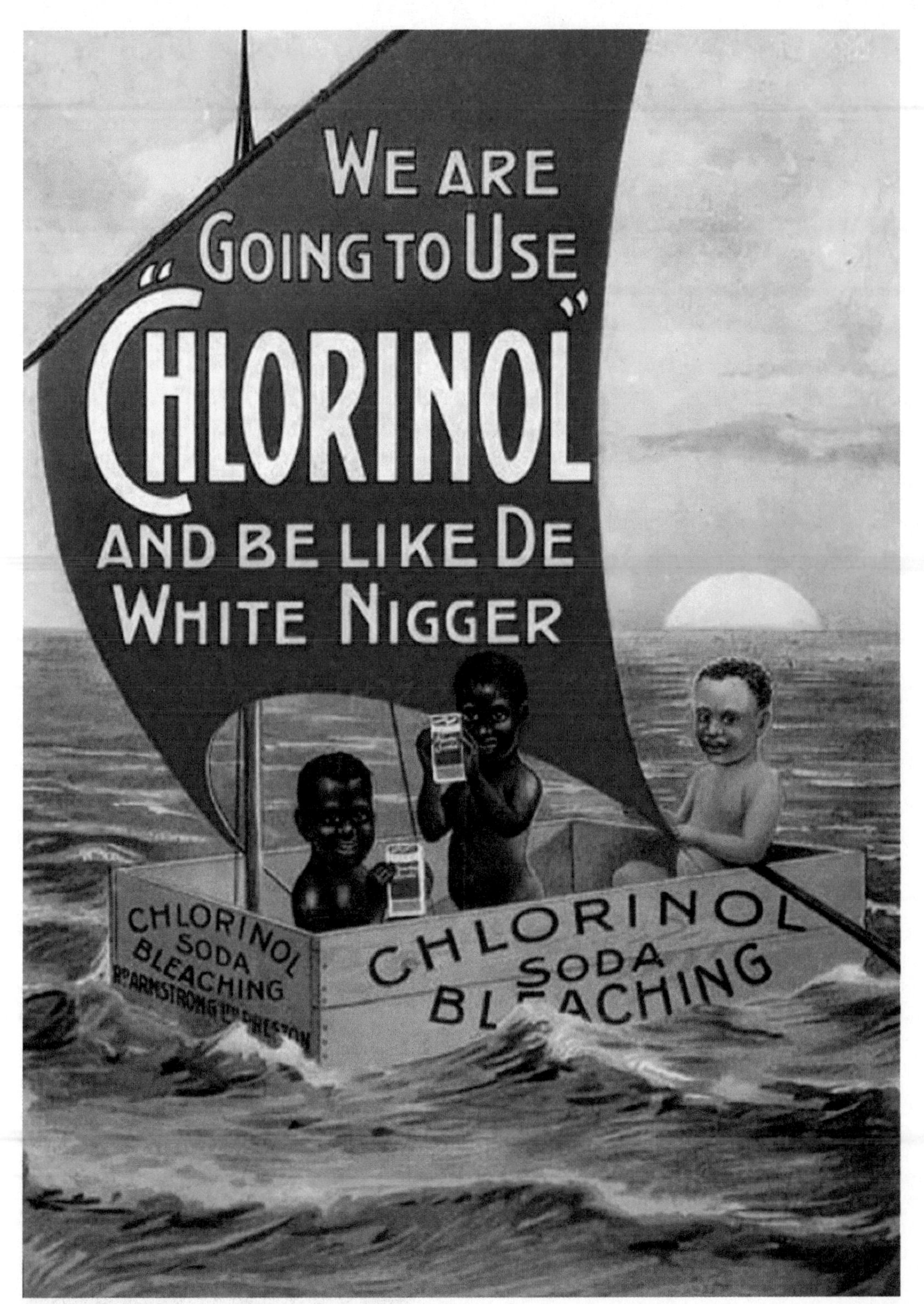
WE ARE
GOING TO USE
"CHLORINOL"
AND BE LIKE DE
WHITE NIGGER
CHLORINOL
SODA
BLEACHING
CHLORINOL
SODA

Nous allons utiliser « Chlorinol » et nous serons comme le nègre blanc. Chlorinol, eau de Javel.

"I have found PEARS' SOAP matchless for the Hands and Complexion."
BY SPECIAL APPOINTMENT TO H.R.H. THE PRINCE OF WALES.
FOR THE COMPLEXION
ESTABLISHED 1789
SOLD EVERYWHERE.
PURE, FRAGRANT, AND DURABLE.

« J'ai trouvé que le savon Pear's était parfait pour se laver les mains et pour unifier le teint. »

Le Noir qui devient blanc ne peut être qu'heureux, le savon est-il un ascenseur social ?

Le Savon DIRTOFF me blanchit!
En vente partout!
LE SAVON
DIRTOFF
Pour MECANICIENS AUTOMOBILISTES et MENAGERES
NETTOIE TOUT

"WHY DOESN'T YOUR MAMMA WASH YOU WITH FAIRY SOAP?"
Made only by THE N. K. FAIRBANK COMPANY.
CHICAGO, ST. LOUIS, NEW YORK, BOSTON, PHILADELPHIA,

« Pourquoi ta maman ne te lave pas avec du savon Fairy ? »

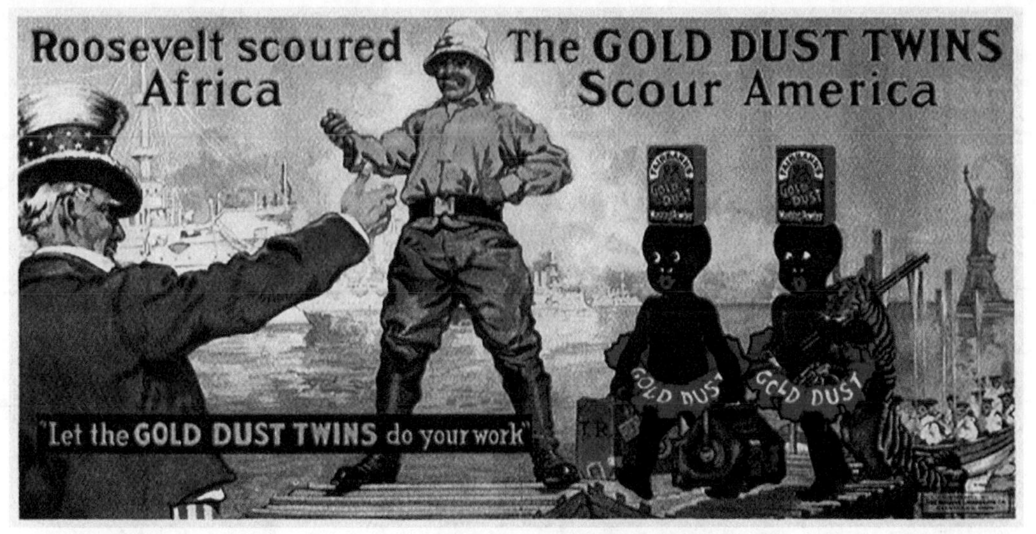
Roosevelt scoured Africa
The GOLD DUST TWINS Scour America
"Let the GOLD DUST TWINS do your work"
GOLD DUST
GOLD DUST

Roosevelt a récuré l'Afrique. Les jumeaux Gold Dust récurent l'Amérique.
« Laissez les jumeaux Gold Dust faire votre travail. »

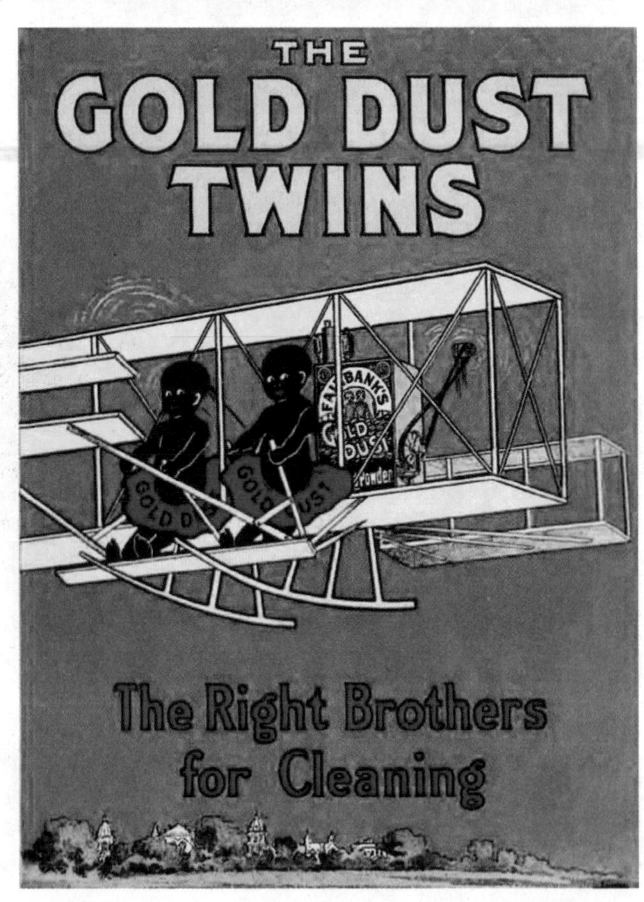
THE
GOLD DUST
TWINS
The Right Brothers
for Cleaning

Les jumeaux Gold Dust.
Les frères parfaits pour laver.

GOLD
DUST
GOLD DUST
GOLD DUST
Makes Dishwater
That Digs

Avec Gold Dust, un rinçage extra.

BOBBY TURNS THE TRICK
GEE, WERE LUCKY TO BE SAVED FROM THAT WRECK UNCLE FRANK
TOO BAD WE COULDN'T HAVE SAVED ALL OUR BAGS - WHAT'S IN THIS ONE OF YOURS?
YE GODS! BEECH-NUT GUM AND A BUNCH OF TRICKS YOU GOT BY SENDING IN THE WRAPPERS! OF ALL THE THINGS TO SAVE -
LOOK!
IT'S NO USE BOBBY! WE CAN'T ESCAPE -
GOLLY, THEY'VE CAPTURED BETTY LOU, THE GIRL YOU MET ON SHIPBOARD!!
THEY'RE GOING TO KILL US!
YOU'VE GOT TO THINK FAST! TAKE THIS BEECH-NUT-GUM THE FOOTBALL COACH SAID THERE'S NOTHING LIKE IT TO STEADY THE NERVES
BOBBY- I'VE GOT IT! SHOW THEM ONE OF YOUR TRICKS -
AND AS I LIFT THE TOP OFF THE VASE YOU SEE THE BALL HAS DISAPPEARED!
GEE! ARE WE LUCKY? THAT TRICK MADE SUCH A HIT WITH THE KING HE MADE ME COURT MAGICIAN AND WE'RE ALL SAVED!
AND THE BEECHNUT GUM CERTAINLY MADE A HIT WHEN IT CURED THE KING'S INDIGESTION. ALL THE NATIVES ARE CHEWING IT NOW!
SURE! BEECH-NUT GUM MAKES A HIT WITH EVERYONE! EVEN THE NATIVES "WENT" FOR IT — IT'S SMOOTHER BECAUSE IT'S GOT MORE REAL CHICLE THAN ANY OTHER GUM IN THE WORLD, AND IT TASTES BETTER BECAUSE IT HAS THE FINEST PEPPERMINT FLAVOR AND LOTS OF IT!
Kent Straat
Get the trick that saved Bobby
Kids like 'em! Grown-ups like 'em! Everybody likes 'em! Because Beech-Nut Gum and Beech-Nut Candies are tongue-teasing, palate-pleasing, and taste-tickling.
You can buy them everywhere—5 cents.
LUSTER-MINTS
Beech-Nut CHOCOLATE DROPS
BEECH-NUT GUM
5¢ Beech-Nut Gum
FREE!
HERE'S HOW you can get the Magic Ball and Vase trick! Save five outside wrappers from any package of Beech-Nut Gum, Fruit Drops, Chocolate Drops, or Luster-Mints. Send them with this coupon to "Beech-Nut"—Canajoharie, N. Y. You'll receive the trick promptly —and then the fun begins.
Name
Address
City
State
CLIP THIS COUPON NOW!

Bien sûr que les chewing-gums Beech-Nut séduisent tout le monde ! Même les sauvages.

◀ Cette bande dessinée met en scène des Américains échoués sur une île avec une seule valise pleine de chewing-gums « Beech-Nut Gum » et des tours de magie. Ils se font capturer par des indigènes qui décident de les manger. Bobby, le petit garçon, propose alors à son oncle Frank de prendre un chewing-gum car ils sont supposés calmer les nerfs. Franck, après avoir pris le chewing-gum, a l'idée de se servir des tours de magie pour impressionner les indigènes. Ce qui a pour conséquence de nommer Bobby comme magicien de la tribu et de les sauver de cette situation dangereuse.

CHOCOLAT FÉLIX POTIN
battu et content
Sans lait son Chocolat est exquis à l'eau
Battez-le avec la Chocolette
FÉLIX POTIN

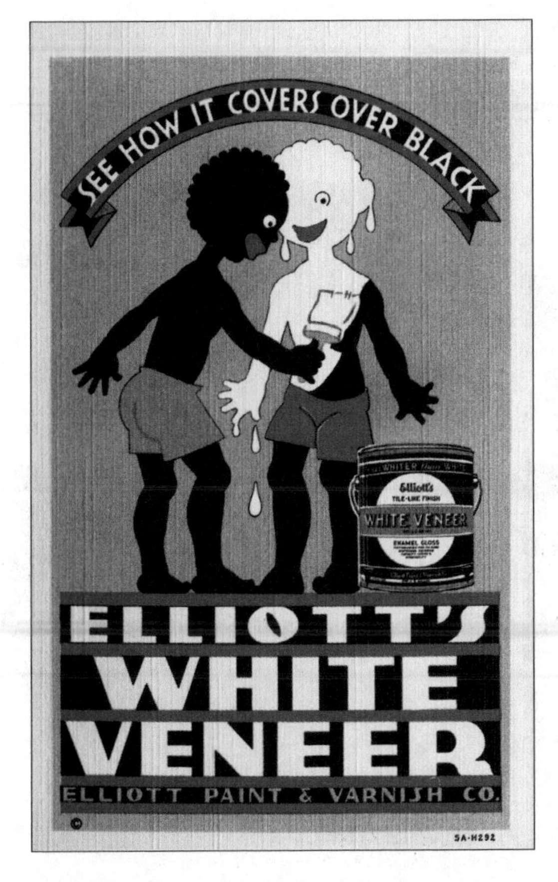
SEE HOW IT COVERS OVER BLACK
WHITE VENEER
ELLIOTT'S
WHITE
VENEER
ELLIOTT PAINT & VARNISH CO.
5A-H292

Aucun cliché bien lourd n'est épargné : les méchants qui mangent les Blancs, le rigolo qui a le sens du rythme et la nounou au gros sourire...

Voyez comme elle recouvre le noir, la peinture blanche Elliott.

For Double Reason you'll prefer the
"DOUBLE-RICH" Bourbon
It's the "CREAM" of Kentucky
Most Kentucky Bourbon is good. Cream of Kentucky is superlative. Selected from the finest whiskey Kentucky ever produced.... double-rich in the character that gives Kentucky Bourbon its world-wide fame.
It's the Favorite of the World
More Cream of Kentucky is bought than any other straight Bourbon in the world. This means savings in distribution cost, which benefit you in price. It pays to join the majority... say, "Make mine Cream!"
SCHENLEY'S
Cream of Kentucky
STRAIGHT BOURBON WHISKEY

Les Noirs sont au service des Blancs. Dans la joie et la bonne humeur.

Refreshment Time!
HOW DELIGHTFUL TO HAVE COCA-COLA READY AT HOME

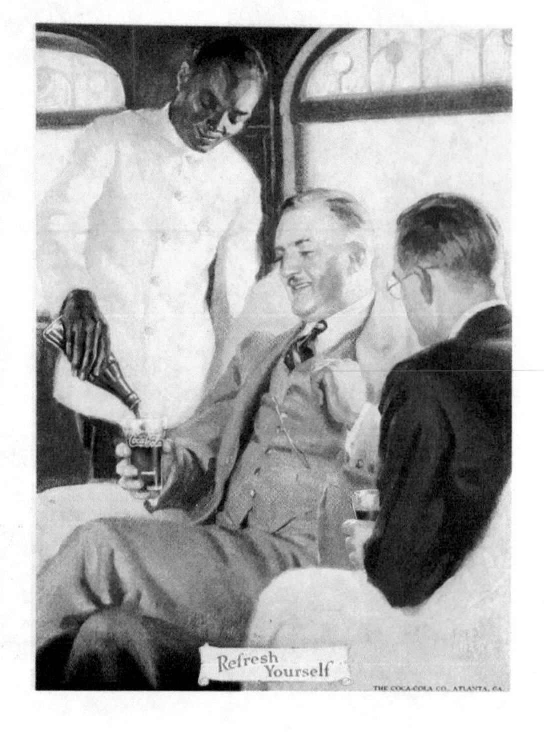
Refresh Yourself
THE COCA-COLA CO. ATLANTA, GA.

It's no sale, lady !
FIVE FLAVOR
LIFE SAVERS

Peut-être que cette image aurait pu s'intituler : « Femme dans un métier sans avenir. » Pourquoi un soldat s'encombrerait-il de fruits frais, même s'il les adore, alors qu'il peut retrouver ces saveurs dans un format bien plus réduit : les délicieux bonbons « Life Savers ».

How AUNT JEMIMA Chased Away Those PANCAKE-HUNGRY BLUES
"WE'VE GOT THOSE PANCAKE-HUNGRY BLUES."
I HEAR YOU CALLIN' FOR MY DELICIOUS, JIFFY-QUICK PANCAKES.
SEE? IT'S EASY AS 1-2-3 TO WHISK UP MY FLAVORY, FRAGRANT PANCAKES.
INDEED IT IS! WHY THERE'S NO FUSS, NOR MUSS AT ALL.
IT'S EASY to turn out perfect, light, delicious pancakes, buckwheats and waffles every time, in no time, with Aunt Jemima's Famous Ready-Mix. Aunt Jemima's are so nourishing, so easy to digest. And they cost even less than the ordinary cook book kind.
PANCAKE DAYS IS HAPPY DAYS
WE'RE ALL GOING TO GIVE YOU A GREAT BIG KISS FOR THESE AUNT JEMIMA'S MOM.
YES SIREE! WE JUST LOVE 'EM, AND WE LOVE YOU FOR MAKING 'EM.
TODAY IS Aunt Jemima pancake day. So happify your family, and win their loving thanks, by giving them tempting, tasty Aunt Jemima's with streams of melting butter and sunny, sweet syrup trickling down their sides.
Aunt Jemima says: "Enjoy both my tasty Pancakes and my tangy Buckwheats, as millions do. Ask your grocer for a package of each right away."
AUNT JEMIMA
AUNT JEMIMA PANCAKES

Cette famille de Blancs chante le blues parce qu'ils ont faim de pancakes.
Tante Jemima les entend et prépare joyeusement sa propre recette.
La famille les trouve délicieux, et par conséquent tante Jemima gagne leur gratitude.

Dr. Scott's
Electric Hair Brush
WILL NOT SAVE AN INDIAN'S SCALP FROM HIS ENEMIES BUT IT WILL PRESERVE YOURS FROM
DANDRUFF
BALDNESS
FALLING HAIR
CURES HEADACHE AND NEURALGIA
PRICE $1
AT DRY GOODS STORES AND DRUGGISTS, OR SENT POST-PAID FOR $1.10
GEO. A. SCOTT,
ROOM 1, 844 BROADWAY, N. Y.
Valuable Book Free. Agents Wanted.

Cette brosse à cheveux électrique n'empêchera pas un Indien de se faire scalper, mais par contre empêchera vos cheveux de tomber, évitera les pellicules, la calvitie, la névralgie, ainsi que les maux de tête.

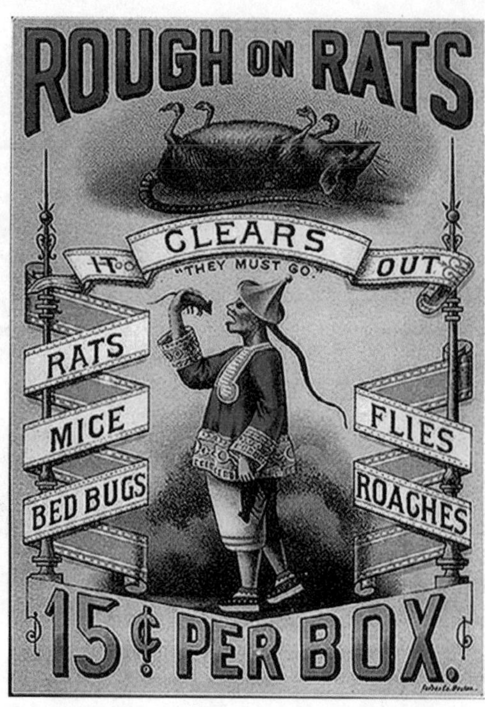
ROUGH ON RATS
IT CLEARS OUT
"THEY MUST GO."
RATS
MICE
BED BUGS
FLIES
ROACHES
15¢ PER BOX.

Rude avec les rats. Ça dégage les rats, les souris, les punaises de lit, les mouches et les cafards. Un délice pour les chinois.

It's his 軍円 against your Dollars!
Yes, Honorable Japanese glad to spend his 円 (his Japanese money) for more of his government's war bonds . . . look what they pay for . . .
Perhaps another sneak attack like Pearl Harbor. Another massacre like Wake Island. Ruthless pillage such as at Hong Kong, Manila, Singapore.
We can't afford to take these lying down. We'll dig down in our pockets now to buy more . . . and more . . . and more, until our bonds drive every Japanese and Nazi back into a corner with his hands up.
We'll pass up the unnecessary luxuries, pool our car riding, build so many ships, planes and tanks that every Jap will think he's fighting four Americans instead of one.
That's what will turn Joe Jap's war bonds into wastepaper . . . make him yell for peace as our enemies did in the last war.
THE TEXAS COMPANY
TEXACO
originators of
FIRE-CHIEF
and Sky Chief
gasolines

Ses yens contre vos dollars.
Oui, cet honorable japonais est heureux de dépenser ses yens pour financer la guerre, et regardez à quoi ça sert… peut-être à financer un autre Pearl Harbor, ou un autre massacre comme Wake Island. On ne peut pas rester sans rien faire, « Texaco » s'engage à acheter un maximum d'obligations de guerre jusqu'à ce que les Japonais et les Nazis capitulent. On construira tellement de bateaux, de tanks ou d'avions que les Japonais se retrouveront complètement acculés. Joe le Japonais implorera pour la paix comme l'ont fait nos ennemis lors de la dernière guerre.

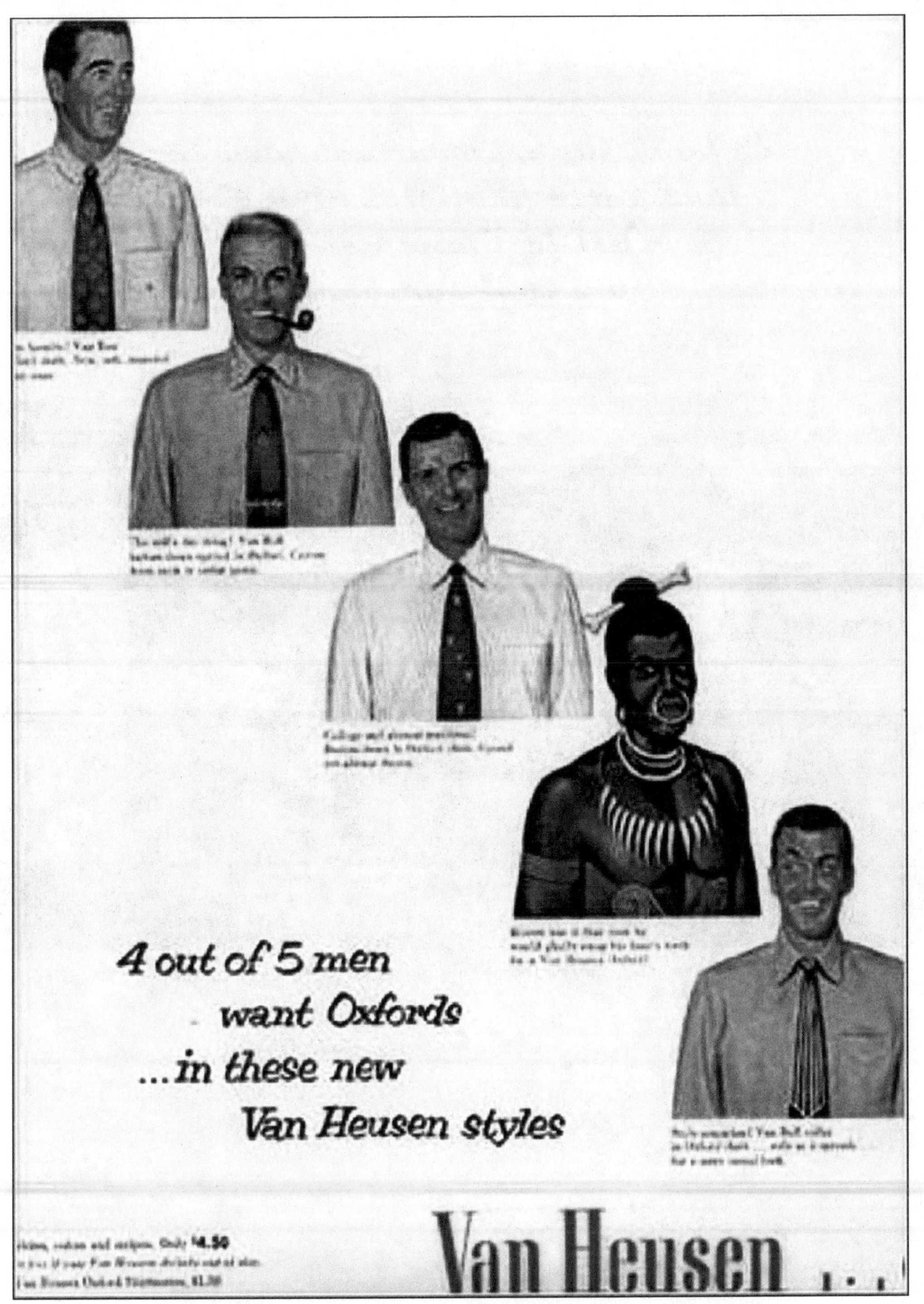
4 out of 5 men
want Oxfords
...in these new
Van Heusen styles
Van Heusen

4 hommes sur 5 veulent une nouvelle chemise Van Heusen.
Cette affiche montre que si vous n'êtes pas un Noir d'une tribu primitive,
vous désirez sûrement acheter une chemise de cette marque.

Et pour finir, l'arroseur arrosé : dans cette publicité africaine, c'est le Blanc qui est un vrai sauvage !

TEMBO
UNE BIERE FORTE
TEMBO
POUR LES GENS FORT

Publicité pour la bière brune Tembo (éléphant), qui est une boisson traditionnelle au Zaïre.

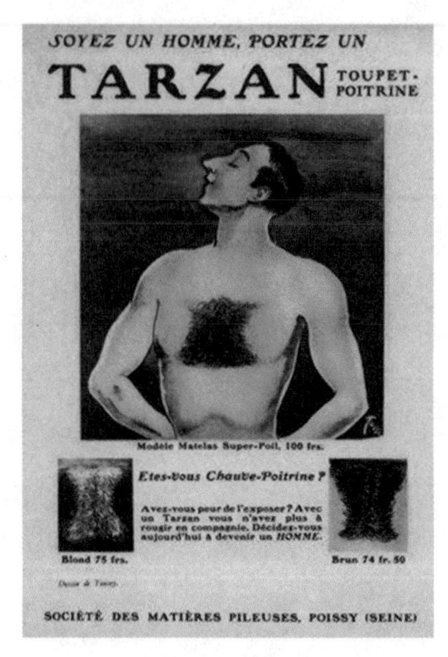
SOYEZ UN HOMME, PORTEZ UN
TARZAN
TOUPET-POITRINE
Modèle Matelas Super-Poil, 100 frs.
Etes-vous Chauve-Poitrine ?
Avez-vous peur de l'exposer ? Avec un Tarzan vous n'avez plus à rougir en compagnie. Décidez-vous aujourd'hui à devenir un HOMME.
Blond 75 frs.
Brun 74 fr. 50
SOCIÉTÉ DES MATIÈRES PILEUSES, POISSY (SEINE)

Achevé d'imprimer
en octobre 2012
par Corlet.
Dépôt légal : septembre 2012